北川フラム

越後妻有
里山美術紀行

大地の芸術祭をめぐる
アートの旅

はじめに

越後妻有は平成の大合併によってできた十日町市（旧十日町市、川西町、中里村、松代町、松之山町）と津南町を総称した、大地の芸術祭のエリアの名称です。七六〇平方キロメートルという東京都二三区や琵琶湖ほどの広さがあります。かつては秋山郷と呼ばれた長野県と隣接する地域を含む、世界でも有数の豪雪地で、人口は現在で約六万人です。

過度の都市集中と産業構造の変化でもたらされた過疎高齢化に伴う地域力減退に対する、新潟県の合併施策「ニューにいがた里創プラン」のアドバイザーとして私が指名され、①写真と言葉によるステキ発見、②地域をつなぐ花の道、③旧自治体の特徴を活かすステージづくり、それに、④それらの取り組みを総合的に発信する三年に一回の芸術祭、という四本の柱を骨子とした「越後妻有アートネックレス構想」が一九九六年に発表され、可能な限り当時約二〇〇あった集落単位で作業を進めるという、およそ国のリストラ策とは真逆の方法が打ち上げられます。私は、長い時間をかけて培われた生活の基礎単位を大切にしたかったのです。

長い間人類の友であった美術の持つ力（アーティストの発見する力、理解し学習するなかから生まれる交流、協働する制作、よく体験していただくための運営）を媒介に、「人間は自然に内包される」という基本理念のもとで作業は進められてきました。目的はその地の住民が誇りを持つことです。

前例のない現代美術による企画でもあり、当初はなかなか理解されにくいものでしたが、大地の芸術祭を支えるサポーター、こへび隊の活動を中心に、地域・世代・ジャンルを超えた協働という作法で、来訪者には一枚一枚の作品鑑賞パスポートを購入して土地を巡っていただく、可能な限りの良いアーティストや識者に関わっていただき、それらの縁が地域を元気づけ、「行って良し、来られて良し」の支援、観光が感幸になるような組み立てを目指してきました。毎回一〇〇近くの新作が登場し、数十の作品が地域に残っていきます。

中越・中越沖・長野県北部という三度の激甚法が適用される規模の地震と、コロナのパンデミックに見舞われながら、大地の芸術祭は三年に一度の新作が公開されるトリエンナーレだけではなく、ＮＰＯ法人越後妻有里山協働機構というアートによる地域づくりを支える組織もでき、現在では大地の芸術祭の活動は通年化されるに至っています。

私はそんななかで現場に通い、そのＮＰＯ法人の理事長を務めるとともに大地の芸術祭の総合ディレクターをやってきました。「アートを道しるべに越後妻有をめぐる旅」のガイドをしながら私が紹介する越後妻有の魅力を、もっと大勢の方に知っていただけるように、この本は編まれました。

目次

第三章　越後妻有里山現代美術館 MonET　081

第四章　川西　105

第五章　津南 125

第六章　松之山 151

越後妻有 大地の芸術祭
展開エリア

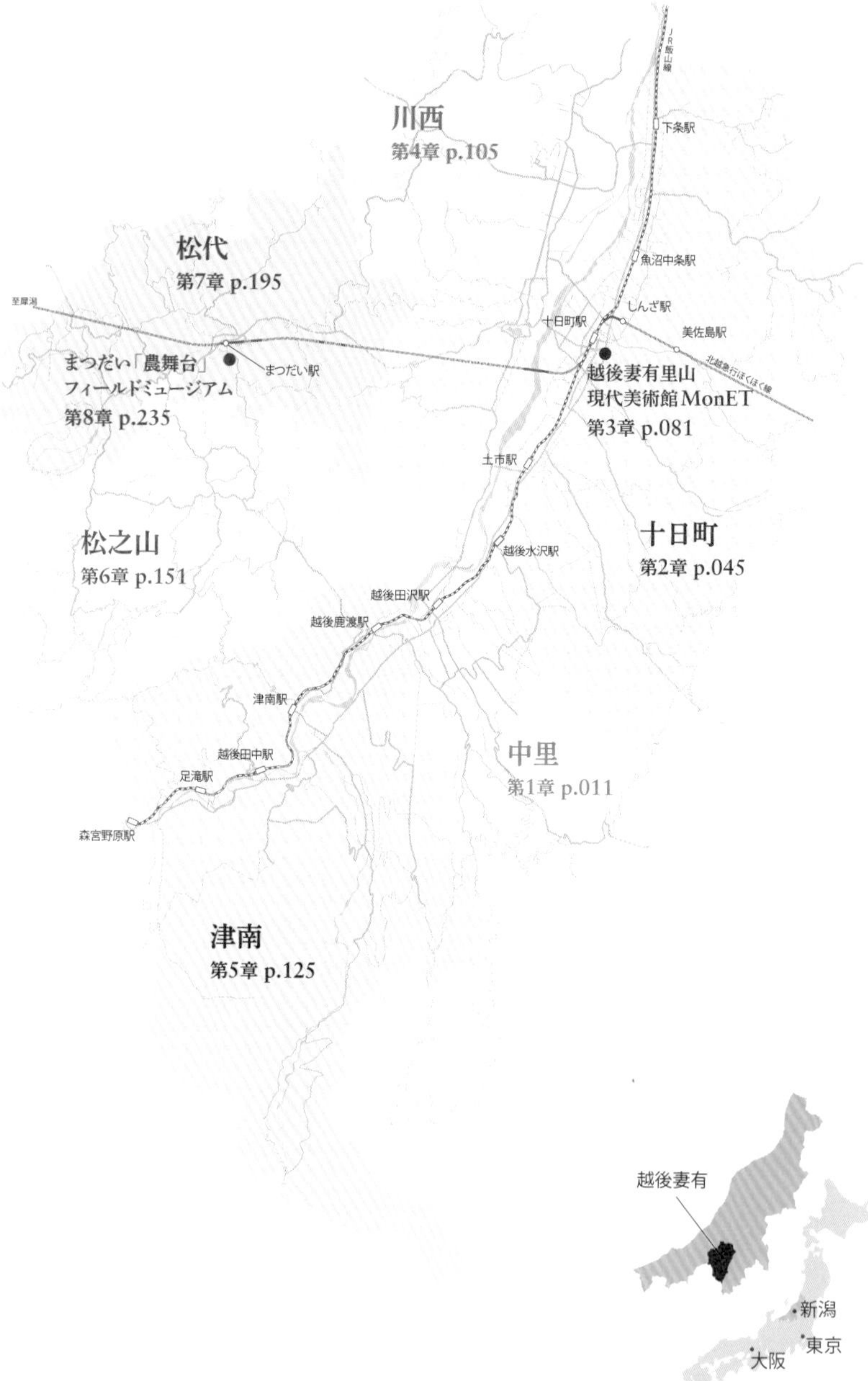

川西
第4章 p.105
松代
第7章 p.195
至犀潟
まつだい「農舞台」
フィールドミュージアム
第8章 p.235
まつだい駅
JR飯山線
下条駅
魚沼中条駅
しんざ駅
十日町駅
美佐島駅
北越急行ほくほく線
越後妻有里山
現代美術館MonET
第3章 p.081
土市駅
十日町
第2章 p.045
越後水沢駅
松之山
第6章 p.151
越後田沢駅
越後鹿渡駅
津南駅
越後田中駅
足滝駅
森宮野原駅
中里
第1章 p.011
津南
第5章 p.125
越後妻有
新潟
東京
大阪

1 中里

中里

N000 作品番号
作家名《作品名》

- 常設作品
  ※公開状況は作品により異なる
- 公開終了作品
  (2023年11月時点)

廃校作品プロジェクト
空き家プロジェクト

土倉《つちくら》

幻の小学校

《死者へ、生者へ》

越後湯沢駅から七曲りの峠を越えて越後妻有へと降りてゆく国道三五三号、最初に人里への眺望がひらけるあたりの道沿いに、かつては峠の茶屋がありました。その少し手前にある魚沼スカイラインへの入り口から、細い脇道の急坂を登ったところにあったのが、旧清津峡小学校土倉分校（一九九六年閉校）です。第一回展では、今は取り壊されてしまっているこの旧分校の校舎に、大地の芸術祭のその後の方向を決めたといっても良い北山善夫の《死者へ、生者へ》がつくられました。北山さんはほぼ一冬、この学校にこもり、学校に残された文集、図書、記念のスナップ写真などを整理し、廊下や階段、踊り場に掲示した他、子どもの詩を黒板に書き写しました。

雪国　　　　六年　山田寿定

遠い昔にもどる。村は、しづまりかえり　ただ雪が降る
風にとばされて　何処からとなく　飛んでくる雪。

だがその雪が、村人をしづめる　つらく　そしてきびしい冬。
だがそこにも光がある。子どもの喜び　光は一つ二つふえてゆく
雪国で生まれ　雪国で育った寒い冬。
だが人々は待ちつづける。春が来ることを　雪国の春を。

作家がつけ加えたものといえば赤白黒の竹と紙でできた巨大な吊りもの、それと天井から無数にぶら下げられた、天使の翼がついた小さな黄金の椅子です（この時の翼の椅子は中里の林屋旅館の食堂で見ることができます）。

初めて作品を見た時のことは、今でも鮮明に思い出します。旧中里村にある土倉という奥まった集落（地名に「倉」が付けられる場所は、断崖のような切通しがある場所です。白い崖は白倉、赤い崖は赤倉というように）にある小学校分校。校庭には、昭和三八年の大豪雪で達した積雪深八・五メートルの高さを示す記念のポールが立てられています。その校舎から、薄い金物細工でできた翼が羽ばたくように突き出ている。エーリッヒ・ケストナーの『飛ぶ教室』*が思い浮かびました。校舎に入ると、窓に打ちつけられた防雪用板の隙間から入るうすら灯りに、まさに子どもたちが今、走り回っているように

*『飛ぶ教室』
エーリッヒ・ケストナーが一九三三年に発表したドイツの児童文学。片田舎の町にある寄宿学校のクリスマス休暇前の一時期を描く。日本語訳に高橋健二訳のケストナー少年文学全集版（一九六二）、池田香代子訳の岩波少年文庫版（二〇〇六）、池内紀訳の新潮文庫版（二〇一四）など。

◁北山善夫《死者へ、生者へ》[00]

感じられたのです。既視感です。集落の大人たちは、山奥の豪雪地に生まれてきた子どもをわが子のように慈しんで見守ってきたに違いありません。かつて田舎の小学校で見た地区運動会の種目、ランドセルとズックと帽子を拾って駆ける「来年は小学生」というゲームで来年の新入学生の名を一人ひとり読み上げられた時の拍手の温かさを、私は忘れることができません。親子のデスマッチのような、この地を子が離れるまでの濃密な格闘のような日々。それらがこの講堂兼体育館を満たしていて、それが一陣の風で生命を与えられ動き出したような感じなのです。

その時、私にとって、美術的営為は時・空間を表すものだという考えがはっきりとかたちを結んだのです。「大地の芸術祭は続けることができる！」と確信しました。仲間と誘い合って学校に行く道、あるいは帰り道にあった、わずかに違うそれぞれの一日、一日。その遊びというしかない無為とも見える黄金の日々の里程標として学校はあったのでしょう。おそらく、子どもたちにとっても親たちにとっても、故郷はそのようなものとして忘れ難くあるでしょう。その碑が芸術祭の作品であったら良い。

大型の自動車では、土倉分校まで登っていくことはできません。第一回展ではそれほど利用されなかったツアーバスを峠の茶屋に停めてもらい、乗用車で何回も何回もピストン輸送を繰り返しました。作品の運営を担っていたのは、八〇歳を超える私たちの同僚のお父上でした。私も学生時代からお世話になっていたその方は、当時は好好爺になっておられて、車の運転や会場の開閉などをやって下さっていました。

小出《こいで》

生まれ変わった遊歩道トンネル

土倉の幻の作品から国道三五三号を十日町方面へ下り、大きなヘアピンカーブを曲がるとほどなく清津峡への入口があります。国道を左へ折れて清津川に架かる橋を渡った先、道と川に挟まれたところに空き家を改修した《うつすいえ》があって、最初は第三回展で井出創太郎と高浜利也が力作を展開してくれました。その後、東京での私たちの大家さんである朝倉健吾*さんが家のスポンサーになり、第四回展以降は東京電機大学と共立女子大学の学生たちがセルフビルドで改修し、セミナーハウスとして活用していました。大地の芸術祭会期中には両大学のチームが滞在し、大切な人たちへ宛てて書いてもらった手紙を展示するプロジェクトや来訪者とともに縄をなってつなげていくワークショップなどを展開しました。また不思議な節回しを持つ地域の伝統的な盆踊りである「鳥踊り」の保存、継承にも取り組んでくれました。この《うつすいえ》には、彼らの長い活動の歴史が刻み込まれています。

朝倉健吾
朝倉不動産株式会社代表の朝倉健吾氏と兄の朝倉徳道氏は、一九六〇年代から東京・代官山の父祖伝来の地で、建築家・槇文彦とともにヒルサイドテラスの開発・経営に取り組んできた。都市コミュニティの新たなかたちを示したヒルサイドテラスと朝倉家のこれまでの歩みについては『Hillside Terrace 1969-2019』（現代企画室、二〇一九）を参照。

▷井出創太郎＋高浜利也《小出の家》[06]

マ・ヤンソン／MADアーキテクツ《Tunnel of Light》［18］

《Tunnel of Light》

清津峡温泉の始まりは、江戸時代の末期にまでさかのぼります。湯治場から上流に向けて切りたつ柱状節理の雄大な峡谷は湯治客の評判を呼び、一九四一年には国の名勝および天然記念物に指定。清津峡は日本三大峡谷のひとつに数えられ、新潟県有数の観光地として人気を集めました。しかし一九八八年に、落石による死亡事故が起きたことから峡谷内の遊歩道は閉鎖されます。その後地元住民の要望により、全長約七五〇メートルの遊歩道トンネルが掘削され、三か所の見晴らし所と終点にパノラマステーションを備え安全に峡谷美を観賞できる「清津峡渓谷トンネル」が一九九六年に開業しました。

当初は賑わったものの次第に客足が遠のき始めた清津峡渓谷トンネルで、第一回展ではふだんは使われない工事搬入用のトンネルを使って、岩崎永人が流木による二十体ほどの人形の作品《化石》をつくりました。第二回展には別の手前のトンネルでフランスのソフィー・リステルフーバーが、現地での聞き取りをもとにつくられた詩を一四人の地元集落の人たちが朗読する音声の作品《トンネル》を制作しています。その味わいのある声の反響は、歩行者だけが通れる小さな古道のトンネルを厳粛な空間に変えてくれました。しかし、大地の芸術祭開催年には持ちなおしても来訪者数は年々減少しつづけ、開業から二〇年を経て渓谷トンネル再生のために大きなてこ入れが必要となっていました。

ＭＡＤアーキテクツを率いる中国の建築家、マ・ヤンソン（馬岩松）とは、二〇一六年の第一回「瀬戸内アジアフォーラム*」が最初の出会いでした。小豆島の福武ハウスに一〇か国／地域から二〇人を

▷岩崎永人《化石》[00]

超える地域づくりや芸術文化のプロフェッショナルが集い、四つのグループに分かれて議論、作業をするという貴重な会でしたが、ひとつのグループのファシリテーターを務めた馬さんの統率力はなかなかのもの。写真で知っていた斬新な実作も、世界を股にかけて活躍するその実力をうかがわせるのに充分で、氏に清津峡渓谷トンネル改修の仕事をお願いすることになりました。

馬さんたちはトンネル内の開口部である三か所の見晴らし所を活かしてトイレの機能を持たせる、入口と出口が呼応するようにする、トンネル内の照明を工夫する、などを提案し、大変な手間がかかるなかで、越後妻有を代表する場所がその特色を際立たせるべく健闘してくれました。MADアーキテクツの主宰者三人のうちのひとりが、日本人の早野洋介だったことは大切なことでした。作品《Tunnel of Light》［18］の人気は非常に高く、トンネルがオープンして以来、これまでに三百万人以上の方が来られています。

渓谷トンネルの終点、水鏡に映り込んだ風景がそのまま広がる大パノラマは、文化庁が構想する「日本博」のシンボルイメージに採用されました。この国の片隅、いわば忘れかけられていた場所に外国の建築家が手がけた仕掛けが選ばれました。そこに私は、ユーラシア大陸から離れて漂う環礁のような列島、アフリカで生まれたホモサピエンスがほぼ最後にやってきたであろう日本列島のアイデンティティがあると思います。四季があり水が豊かなこの群島の、水と森の中で育まれる豊かな未来への焦点が結ばれているような気がします。この地域では、トンネルができる以前は半日もかけて山

「瀬戸内アジアフォーラム」
二〇一六年から瀬戸内国際芸術祭実行委員会により、アートや文化による地域づくりに関わるアジア諸地域の団体・個人のネットワークの形成を目的に開催されているフォーラム。

道を歩いていた歴史があり、トンネルの存在は地域の特色のひとつです。それだけに、トンネルにこだわるアーティストは多くいました。第一回展に作品を手がけたキム・スージャ（金守子）の《$E=MC^2$》や韓国のユック・クンビョン（陸根丙）の《TAF（アイ・タクシー）》など、安全上の理由で実現できませんでしたが、トンネル内で灯りを使う作品の提案は実に多かったのです。また津南の国道一一七号の大倉スノーシェッドで二〇一五年、指輪ホテルが地元高校生も参加する《あんなに愛し合ったのに～津南町大倉雪覆工篇》を上演してくれて、すばらしいものになったことを報告しておきます。

角間《かくま》

大地の芸術祭の骨格を示す美術館

《磯辺行久記念　越後妻有清津倉庫美術館［Soko］》

清津峡への入口を過ぎて国道三五三号を進むと、そのすぐ先に旧清津峡小学校（二〇〇九年閉校）があります。この小学校の体育館を改修し、二〇一五年に「清津倉庫美術館」をオープン。その後、校舎棟も含めて全面改修を施し、二〇一八年に《磯辺行久記念　越後妻有清津倉庫美術館［SoKo］》*（改修設計＝山本想太郎）として新装開館しました。

校舎棟に入ると、一階の中央ロビーにバックミンスター・フラーのダイマキシオン・マップを元

*《磯辺行久記念　越後妻有清津倉庫美術館［SoKo］》
山本想太郎による改修設計で、二〇一九年「第四五回東京建築賞」奨励賞受賞、二〇二一年度グッドデザイン賞受賞。

▷磯辺行久《海流資源図・ダイマキシオン・マップ》

にした《海流資源図・ダイマキシオンマップ》があります。これは、海流が地域の気候変動の重要な要素であることを示すものです。大地の芸術祭の出発には、磯辺行久のエコロジカル・プランニングのベースにある「地殻、地層、気候、植生、土地利用、土木工作物が重ねられた上に地域の社会生活が組み立てられている」という考え方があります。この美術館の一階では、磯辺さんによるエコロジカル・マップによって、越後妻有をかたちづくるそれらのレイヤーがわかるようになっています。

一九三五年生まれの磯辺行久は、東京藝術大学在学中から日本を代表する現代美術家として活躍していました。約十年間のアーティスト活動のあと、一九六四年に筆を折って渡米。ペンシルベニア大学でエコロジカル・プランニングを学び、土地と人間の関わりの研究者、実践者となって一九七四年に日本に戻ります。以後、二十世紀後半に始まる地球環境時代のプランナーとして活動してきました。美術の持つ恣意性に対する疑問があったのだと思います。一九七五年には『建築文化』誌上で、一九九五年の阪神淡路大震災の起因となった活断層の危険性を予見していました。美術館二階の常設展示室では、ワッペンシリーズを中心とした磯辺さんの若い頃の作品の他、第一回展からつづく越後妻有のプロジェクトが写真と図面で展示されていて、インタビューの映像も流されています。

美術館として改修する前にも、この校舎棟では、東京電機大学山本空間デザイン研究室＋共立女子大学堀ゼミのチームが旧中里村のジオラマをつくって展示し、お弁当のサービスをしたこともあ

▷戸谷成雄、原口典之、遠藤利克、青木野枝の四人展［15］

ります（《きよつや》［15］）。圧巻なのは、第四回展における《アジアを抱いて―富山妙子の全仕事展1950～2009》でした。富山妙子は、韓国の民青学連事件（一九七四年）で拘束された詩人の金芝河にささげる絵画スライドと音楽の作品、《しばられた手の祈り》を高橋悠治とともに制作しました。戦後まもなくから炭鉱労働者、従軍慰安婦や朝鮮人強制連行、アジアの出稼ぎ女性たちなどをテーマに描きつづけてきた六〇年に及ぶ画業を回顧する展覧会です。富山さんは戦後日本を代表する絵画作家ですが、社会性の強い作品のため、公立の美術館で展覧会が企画されることはほとんどありませんでした。その仕事の全容を発表する機会をつくりたいと考えていたのですが、大地の芸術祭の中でそれを行うことができたのは芸術祭の誇りとするところです。

また、国道から一段降りた清津川の段丘面に建つ体育館棟では、これまでに越後妻有と関わりのある作家を中心に大型作品の展示も行ってきました。戸谷成雄、原口典之、遠藤利克、青木野枝の四人展［15］、川俣正が世界各地で展開してきたプロジェクトの模型やドローイングを一堂に集めた展示［17］、河口龍夫の回顧展［19］などです。第八回展では体育館の隣のプールで、joylaboが作品《プールの底に》を展開してくれました。人間の生活・文化・表現が地殻・天候・植生などの基盤によって成り立つことを大地の芸術祭の指針とした磯辺行久の思想を知るために、ぜひ立ち寄ってもらいたい施設です。

▷《アジアを抱いて―富山妙子の全仕事展 1950～2009》［09］

田尻《たじり》・桔《き》梗原《きょうはら》・倉俣《くらまた》

清津川沿いの作品

角間から国道三五三号を下り、清津峡トンネルを抜けるとそこは瀬戸渓谷で、左折すれば、「いろりとほたるの宿せとぐち」横の蔵に青木野枝の名作《空の粒子／西田尻》〔09〕がありました。そこから山に登ると牧畑や深山坂がある集落には、芸術祭開始の頃は人が住んでおられましたが今はおられません。

国道をさらに進めば、道路左手に石がゴロゴロと転がる清津川の河川敷が広がります。江戸時代には大洪水があって、村が全部流されたことがあったそうです。道路とその河原のあいだにわずかな農地があり、春になって雪が消えると、アルミでできた緑・黄・赤などの鹿の子文様の案山子《かかし》《中里かかしの庭》〔00〕がいい塩梅に手を広げて私たちを迎えてくれます。大地の芸術祭のリピーターのなかには、この東田尻の案山子を見ると越後妻有に来た感じがすると言う人も多くおられます。越後妻有をひと巡りしたあとにこの案山子を見て帰るのも定番のコースです。クリス・マシューズは、二〇〇〇年当時イギリスから日本に勉強しに来ていたランドスケープアーキテクトで、春になれば設置され、雪が降る前には撤去されるという、歳時記として地域に愛される作品をつくってくれま

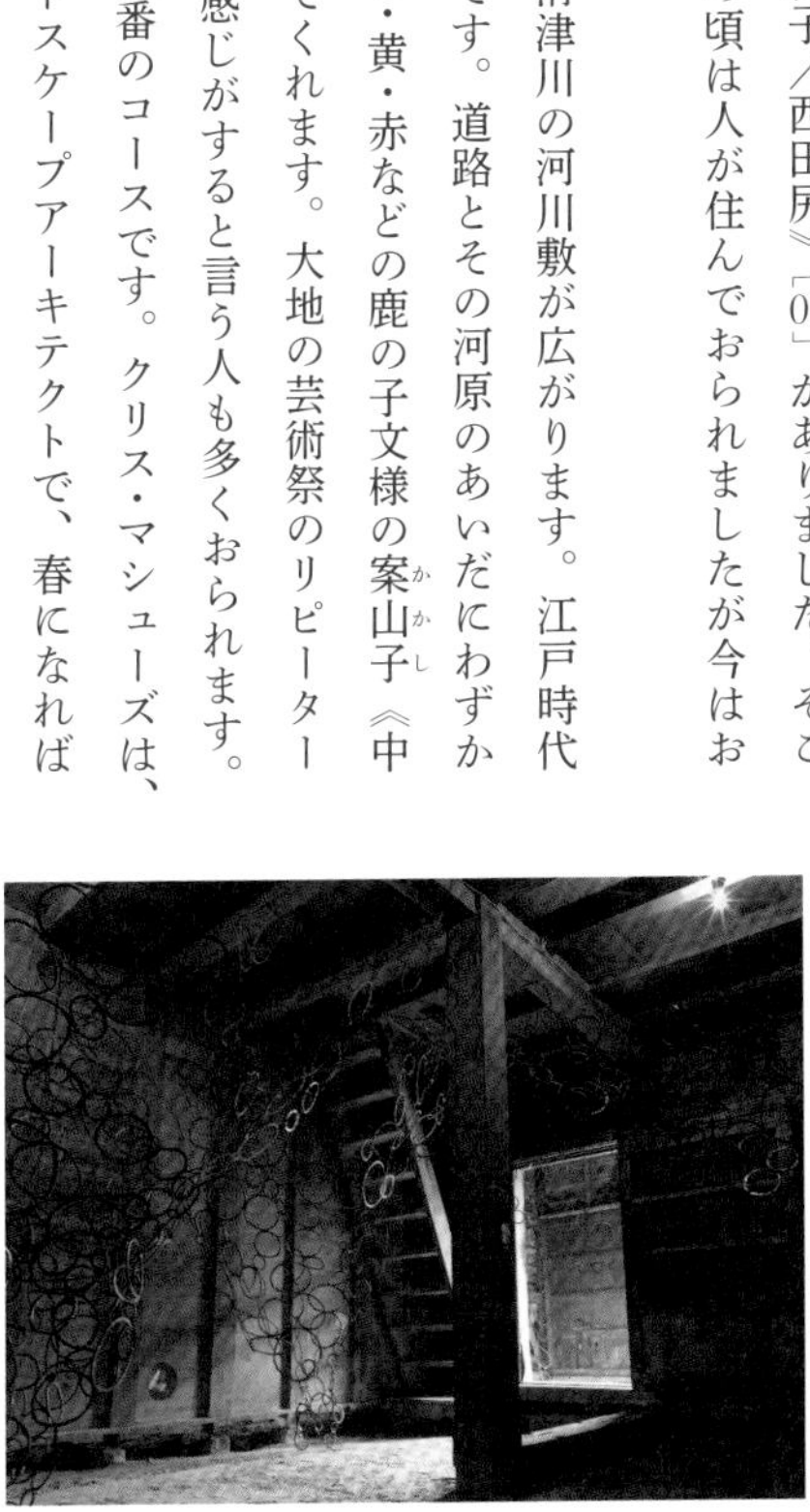

▷青木野枝《空の粒子／西田尻》〔09〕

した。この場所には、第三回展では芝裕子が、稲藁でつくったラビリンスのような《大地のグルグル》をつくって楽しませてくれました。

そのまま国道三五三号を進んで中里エリアの中心部にいたる手前、稲荷橋の交差点で左に入ると田開稲荷神社を右に見たところに小さな丘があり、ここにはかつて蜜蠟で仕上げたサークルを木にかけた鳥寄せの大きな作品、出月秀明の《森とつながる》[06]がありました。

その先の小公園にあるのが、越後妻有のシンボルのひとつになっている内海昭子の《たくさんの失われた窓のために》[06]です。グレーのフレーム越しに越後妻有のなだらかで明るい風景が切り取られ、白いカーテンが気持ち良さそうに風に揺らいでいるさまが人気を集めています。この作品の大切な点は、このカーテンを見るためのお立台があることです。機能の違うものの対話がすばらしいのです。ここから望める河岸には、かつてクリスチャン・ボルタンスキーが《リネン》[00]を、片瀬和夫が釣り師の小屋《夜釣師》[00]をつくった他、吉田明の《エターナル》[06]、槻橋修の《きよっつ》[09]が今もあります。

ここでいったん右に折れて、田んぼに挟まれた田開稲荷の参道を国道一一七号方面に向かうと、大きな鳥居の横にブルーの鉄骨で構成された巨大な作品《日本に向けて北を定めよ（74°33′2″）》[00]が見えてきます。リチャード・ウィルソンは、コールタールの池の上にデッキをキャンチレバーのように架けたインスタレーション作品で世界的に知られているアーティストです。ウィルソンに最

▷クリス・マシューズ《中里かかしの庭》[00]

◁上＝内海昭子《たくさんの失われた窓のために》[06] 下＝クリスチャン・ボルタンスキー《リネン》[00]

初に仕事をお願いしたのは、東京のＪＲ立川駅近くの「ファーレ立川」*で、地下の都市インフラへの入口と排気口を作品化してもらったときでした。普通だと四角の小屋になるところを、彼はイギリス王朝風の空に伸びる十三の階段をつくって空間の新たな側面を見せてくれました。第一回展の越後妻有の作品では、ロンドンにある自邸の重心を、地球の中心を通るようにして、越後妻有の立地にまで動かすというもので、それは74°33'2"の移動になるため天地が逆になるというものです。当然家は同じ大きさの骨格だけのものなのですが、寸分の角度も違ってはいけないということで、担当した前田建設は気を遣ってくれました。それは中里中学校脇の敷地で田開稲荷神社参道になっている農幹道の真っ赤な鳥居とセットになって目立つ人気スポットになっています。中学生は基礎打ちから完成までの総てを見守っていたわけで、完成後中学校でリチャード・ウィルソンと前田又兵衛会長による「私たちは何でこんなことに熱中するのか？」という講義が行われました。前田建設工業はウィルソンが教鞭を執るロンドンのＡＡスクールという建築学校の運営も援助していて、結局この作品の制作費用も全部出してくれました。

リチャード・ウィルソンはもともとロックバンドのドラマーをやっていました。私は見ていないけれど、なかなかのものだったらしい。上海でのＳＵＳＡＳ［19］の時の作品など、これまでウィルソンが手がけた作品はいずれも土地の環境・材料との掛け合いのようなところがあり、その間合いの呼吸が動的な感じなのです。私は山下洋輔さんのジャズを聴いて以来、あるいは大岡信さんの詩、或いは詩歌論を識《し》って以来、主体の押したり退いたりする掛け合いが、コミュニケーションの面白さをつくっていると感じていて、リチャードの作法や彼の立居振舞が好きなのです。

＊「ファーレ立川」
ＪＲ立川駅北口の米軍基地跡地の再開発により一九九四年に誕生したエリア。五・九ヘクタールの商業・業務街区に三六か国九二組のアーティストによる一〇九点のパブリックアートが設置されている。「多様性を埋め込む」「都市機能のアート化」「驚きと発見の街」をコンセプトとするアート計画については北川フラム『ファーレ立川パブリックアートプロジェクト―基地の街をアートが変えた』（現代企画室、二〇一七年）を参照。

◁上＝リチャード・ウィルソン図面　下＝リチャード・ウィルソン《日本に向けて北を定めよ（74°33'2"）》［00］

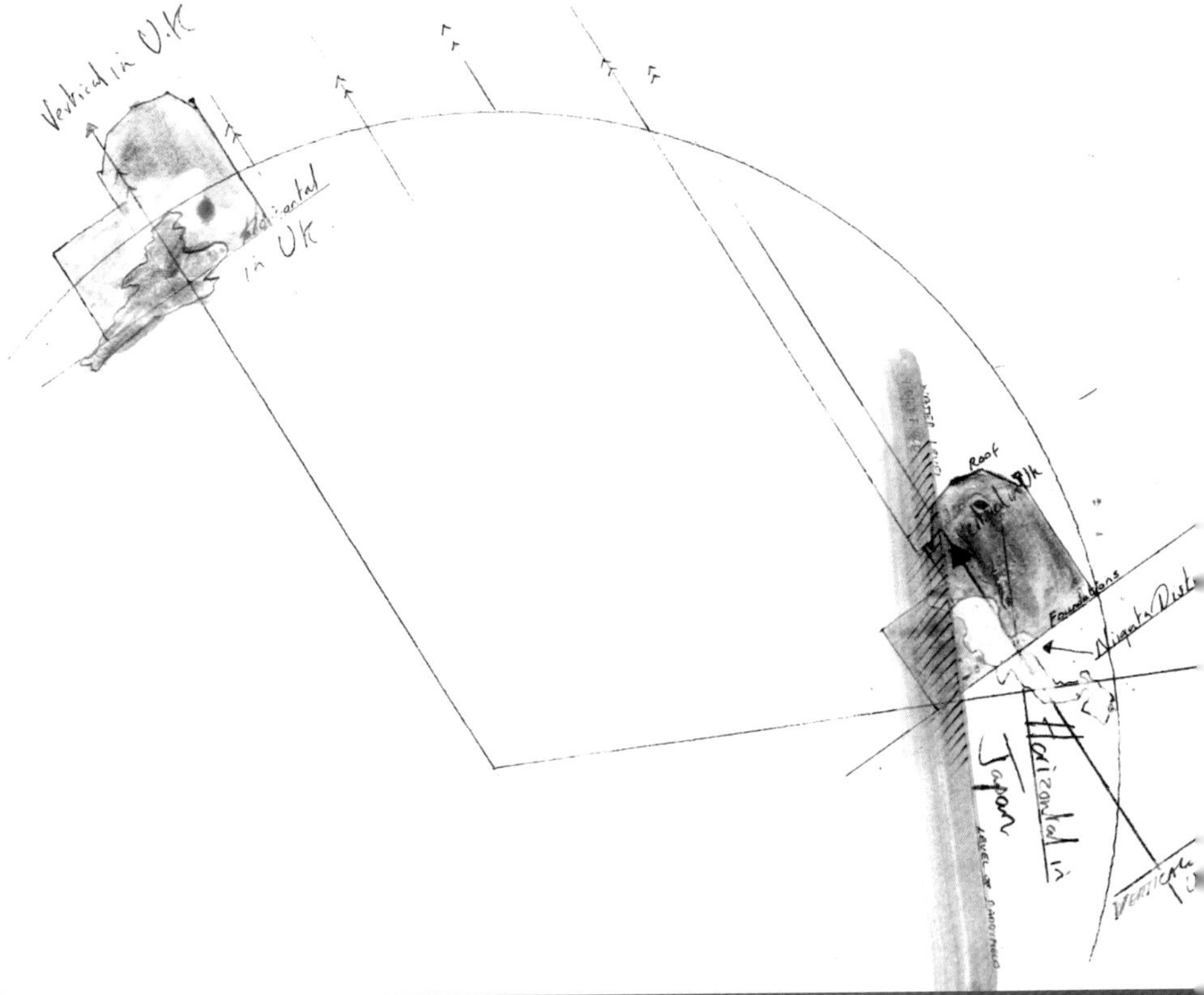

Vertical in U.K
Horizontal in UK
Roof
Foundations
Horizontal in Japan

《ポチョムキン》

さて、《たくさんの失われた窓のために》まで戻って、今度は清津川に架かる橋を渡り、川を左手に見て上流方面に向かいます。やがて道は倉俣に入り、遠くに茶色の城壁のようなものが見えてきます。清津川に合流する釜川脇の林、かつては恋人たちの散歩道だった場所が、高度経済成長期に廃棄物捨て場になりました。どこにでもあった風景ですね。そこをフィンランドの建築家ユニット、カサグランデ&リンタ―ラ建築事務所がすばらしい公園《ポチョムキン》［03］に変えてくれました。早朝から越後妻有に入る人たちが、最初に立ちよる名所です。

彼らは釜川《かまがわ》と圃場整備された一面の田んぼに囲まれた狭い廃棄物捨て場を清掃し、そこに残されていたパワーシャベル、板切れ、タイヤを使って公園をつくりました。約二メートルの高さのコールテン鋼の壁が公園を周囲から区切り、壁の隙間からは地域にとって大切な神社の杜が見えています。土地を半分だけ壁で囲い、もともとあったものを見せる手法は、多くの建築家から賞讃されました。

道路から入って手前の区切られたスペースには瓦礫やガラス片、白い石などが置かれ、コールテン鋼の壁で完全に囲われた場所の内側には現代の工業文明の記憶が遺されています。そこから先に広がるのは、白く美しい玉砂利が敷かれ、大きな木が聳える、のびのびとした石庭のようなスペースです。ベンチやかつての廃棄物捨て場の記憶を彷彿とさせるパワーシャベルが置かれ、古いタイヤは川の向こうの滝が見えるのびやかなブランコに使われています。さらに奥には屋根付きの開放的な木の床の休憩所があり、もともとフィンランド由来のサウナの設置を望んだ作家たちはその名残とも言えるサークルをつくって、バーベキューができる空間になりました。

カサグランデ&リンターラ建築事務所は二〇〇一年、代官山ヒルサイドテラスで開催された「日本・ヨーロッパ建築の新潮流」展*の時に知り合ったユニットです。展覧会で紹介された、田舎に残された納屋に足をはやし、それらの捨て去られた小屋がその地を去らざるを得なかった主人を追いかけていくような彼らのプロジェクトは、田舎の寂しさ、現代の世界のありさまを見事に伝えてくれるものでした。

コラム① 「日本・ヨーロッパ建築の新潮流」展

EUは、ヨーロッパがECという経済協力機構だけだったのに対し、政治的にも文化的にも共同体になろうと設立されたものでしたが、経済が弱体だったギリシャはお荷物でした。しかし「ギリシャのないヨーロッパはありえない」とギリシャも参加し、映画『日曜はダメよ』の名女優であり、ギリシャ文化大臣だったメリナ・メルクーリが「文化の統合はありえない」と頑張って、一年に数都市を選び、欧州文化首都と銘打ってフォーカスするプロジェクトを行っています。

こういった気運のなかで在日大使館がEUとして日本と何をするのかと考えたのが、日本の文化ジャンルの中で元気の良かった建築家による「日本・ヨーロッパ建築の新潮流」展でした。私はこのプロジェクトの萌芽の時から関わっていて、この時も経済的にギリシャは厳しかったのですが、周り

*「日本・ヨーロッパ建築の新潮流」展
二〇〇一年から始まった「EU―日欧協力の一〇年―」のプロジェクト。EU加盟各国と日本から選ばれた若手建築家の展覧会を東京と欧州文化首都で開催。二〇〇四年からは「ヨーロッパ・アジア・パシフィック建築の新潮流」に拡大し、二〇一一年まで続いた。

▷「日本・ヨーロッパ建築の新潮流」展でのカサグランデ&リンターラ建築事務所の作品《ランド（エ）スケープ》［99］

カサグランデ&リンターラ建築事務所〈ポチョムキン〉

の国々の助けがあり、何とかかたちになりました。初回の二〇〇一年は、一六か国二〇組の若い建築家が集い、日本とヨーロッパ各地での交流は楽しいものでした。

当時、ＥＵの統合的な試行は国家レベルでも、日本国内の市町村合併論議でも大きな指針でしたが、私はむしろ歴史的集落共同体に根付く文化が大切だと考えていて、このことは大地の芸術祭の参考になったわけです。芸術祭の作品が展示されている旧六市町村が十日町市・津南町に合併されても、地域それぞれの文化は大切にし、集落をベースに展開していくことにしました。

清田山《せいだやま》

田んぼを吹きぬける風と音

《ポチョムキン》からさらに清津川の上流方面に進むと、重地《じゅうじ》の集落で道は二手に分岐します。そこにはかつて、新しい道をつくるために壊さざるを得なかった家の材料で残地に花壇をつくった北海道の山田良＋山田綾子の仕事、《中里重地プロジェクト》［03］がありました。分岐を左に登っていくと清田山で、ここでもいくつかのプロジェクトを展開してきました。このあたりの集落には小さな神社があり、その小さな空き地などを使って、半田真規が竹を組んだ大きなブランコ《ブランコはブランコではなく》［06］を各所につくって、皆さんが楽しんだことも記憶に残っています。

［06］
▷半田真規《ブランコはブランコではなく》

このあたりは魚沼丘陵麓の信濃川に向かって下る傾斜地で、清津川、中津川といった大きな支流の他にも、たくさんの細い川が国道一一七号、JR飯山線と並行する信濃川に向かって走っています。多くの川沿いには段々の田んぼがつくられていて、ここ清田山では信濃川へと下る小河川を利用した棚田の典型的な風景を見ることができます。その大きな段々の田をうまく活かした作品が、インドネシア出身で現在オーストラリアに住んでいるダダン・クリスタントの《カクラ・クルクル・アット・ツマリ》[06]です。このクルクルはバリ島の田んぼでも鳥追い用に実際に使われているもので、大地の芸術祭では第三回展から、少しずつ直しながら会期ごとに設置されています。青空のもと、人型の民芸品が動き、乾いたカラカラという音が鳴るのは、のびやかで気持ちがいいのです。地元の農作業で鳴りものができたら良いな！　ダダン・クリスタントが日本での可能性を考えてみるそうです。

近くの中里村立倉俣小学校清田山冬季分校（一九九〇年閉校）では、パレ・ド・トーキョーの企画展《ヘテロトピアへようこそ》[06]を開催したこともあり、日本からは田中功起が展示に参加していました。二〇二三年三月、坂本龍一さんが亡くなりました。彼は東京藝術大学の全共闘運動に、新入生の頃から入ってきた作曲科の人間です。二〇〇〇年頃、屋外でのアートプロジェクトでどんなものが良いか、坂本さんに相談したことがあります。彼はバリ島の鳩について提案をしてくれました。鳩の風切羽に小さな笛をつけると鳩が集団で旋回する時にピューというすばらしい音が鳴るそうで、屋外での音としては一番好きだというのです。残念ながらまだ実現されていませんが想像できますね。

グダン・クリスタント〈カタラ・クルクル・アット・ツマリ〉[06]

音といえばルネサンス美術の研究者、友部直先生が、イタリアの山地で飼われている羊の首につけられた鈴の音が、風の流れにのって聞こえてくるのが好きだと、私が受けた藝大での最初の授業で述べられていたことを覚えています。ヨハン・ホイジンガの『中世の秋』* にある、教会ごとに違う鐘の音色が、街の人たちが共有する喜怒哀楽によって鳴るという話も強く印象に残っています。

七《なな》ツ釜《がま》

協働することの楽しさ

《スネーク・パス》

重地の分岐点を右に進むと、七ツ釜にたどり着きます。国の名勝・天然記念物である七ツ釜の柱状節理は見応えがあります。第二回展で、七ツ釜公園の駐車場から山に登っていく斜面を横切って、絵つきタイルを持ちより遊歩道をつくろうということになりました。全体のデザインはオーストラリアのアン・グラハムが担当し、道は大蛇をかたちづくります。タイルに絵を描き、貼りつけるワークショップには全国から七十組、約四百名が参加してくれました。二〇〇〇年に亡くなられた小林昭夫先生の奥様やご家族も参加して下さったのを覚えています。小林先生は横浜でBゼミスクーリングシステム

『中世の秋』 『ホモ・ルーデンス』で知られるオランダの歴史家ヨハン・ホイジンガが一九一九年に発表した著作。百年戦争前後（十四—十五世紀）のブルゴーニュ公国の文化について考察する。日本語訳に堀越孝一訳の中公文庫版（一九七六、改訂版二〇一八）などがある。

▷アン・グラハム《スネーク・パス》[03]

という私塾を開いていて、ここから日本現代美術に風穴を開けたアーティストが多数出ています。私は中原佑介さん（220頁参照）、大岡信さん、針生一郎（208頁参照）さんらに敬意を持ち、彼らが美術的活動をどう考え、どんな危惧を持っておられるかを大切に考えてきましたが、小林先生もそういう方のおひとりでした。横浜で「アパルトヘイト否《ノン》！ 国際美術展*」を組織した時の中心にもおられた方です。

アン・グラハムは第一回展にも参加していて、十日町市街地の旧織物工場（現在、MonETが建っている場所）にテントを設営し、シドニー・ビエンナーレのキュレーターでもあった夫君のアンソニー・ボンドと、音楽付き食事プロジェクトを実行してくれました（ボンドはバンドのドラマーでもあります）。仲間たちとやるプロジェクトがいかに楽しいものであるかを、地元の女性陣とともに示してくれたのです。

ミオンなかさと周辺

信濃川とアート

ここで来た道を引き返し、再び清津川沿いを下って国道三五三号まで戻ります。国道三五三号が国道一一七号とぶつかるあたりが、中里エリアの中心市街地です。交差点を直進し、信濃川に沿った道をしばらく進むと、巨大な宮中《みやなか》取水ダムが見えてきます。ダムのすぐ下流に架かる橋で信濃川を渡ると、十日町市の温泉総合保養施設「ミオンなかさと」につながる水田が広がります。

*「アパルトヘイト否！ 国際美術展」
南アフリカのアパルトヘイトに反対するアーティスト、知識人が結集し、ユネスコを中心に組織された美術展。一九八三年のパリ展を皮切りに世界各地を巡回した。日本展の事務局長は北川フラムが務め、開催各地で草の根の実行委員会を立ち上げ、一九八八年から九〇年にかけての五百日間、八一作家、一五四点の作品を積んだ美術収蔵庫付き大型トラック「ゆりあ・ぺむぺる号」が〈赤い風船送り〉と称して全国一九四か所の開催地を駆けめぐった。

▷「アパルトヘイト否！ 国際美術展」岡山展オープニング

第一回展に参加したナイジェリアのオル・オギュイベは著名な美術史家でもあり、当時はアメリカのイリノイ大学シカゴ校で教鞭を執っていました。宮中取水ダム*が東京のJR山手線に送る電力を発電するためのものだと知った作家は、ここに電柱を建てたいと考えました。十八本の電柱に刻まれた詩は、信濃川（長野県では千曲川と呼ぶ）が流れる新潟県と長野県の高校生に呼びかけて集まった七百通以上の応募から、詩人の大岡信さんが選んだものです。大岡さんは、いわゆる下読みを誰かに頼むことはせず、自分おひとりですべての応募作品をちゃんと読んで選ばれました。

・川　それは　キラキラしていて宝石のよう　サラサラとして風のよう　ヒトは安らぐ
・メダカが川にいると　これだけで　川が生き生きしているように見える
・川の石　ずっと耐えてる　ガンコもの
・地図見ると大蛇の姿信濃川
・この川を　はさんだ向こうに好きな人
・目を閉じて　聞き入る川の水の音に　私の心清らかになる
・人がどこかでつながっているよう　川もどこかでつながっている
・眼前を　流れる川見てのんびりも　今しかできない高三の夏
・自転車の　後にまたがり川岸を　風を切りつつ感じる幸せ

宮中取水ダム
JR東日本信濃川発電所（千手、小千谷、小千谷第二の三発電所の総称）で発電に利用する水を取水するダム。一九二〇年に旧国鉄が水利権を取得し一九三九年に第一期工事が竣工。信濃川本川に建設された唯一の大型ダムであり、首都圏の山手線、京浜東北線などの電車を動かす電力の多くがこのダムからの取水で賄われている。現在の許可取水量は最大で毎秒三百十七立方メートル。二〇一〇年に維持流量が増大されて改善されたものの、このダムから小千谷発電所までの区間は信濃川の流量が大きく減水する。

高校生の詩が彫り込まれたオギュイベの電柱は、今も建っています。第一回展ではこの土堤の緑陰で、建築家の小嶋一浩と東京理科大学小嶋研究室の学生たちが設計した仮設の開架図書館が開かれました。

ミオンなかさとの周囲に広がる水田は、磯辺行久が大地の芸術祭の基軸を示してくれた第一回展の《川はどこへいった》、第二回展の《信濃川はかつて現在より25メートル高い位置を流れていた―天空に浮かぶ信濃川の航路》が展開されたサイトです（第七回展で再展示）。今思い出しても恐ろしいことですが、第一回展の関係者お披露目では大型バスでこの田んぼの中の畔道を直角に曲がったり、松代―川西間の瀬替え*を見るために断崖すれすれの道を走ったり、三省ハウスの玄関前まで乗り入れたりと無謀なことをやったものです（Y先生やF氏などは、もう二度とバスには乗らないと語っていたくらいです）。《川はどこへいった》は、明治期につくられたこの地の信濃川流域の地図をもとに、今は圃場整備され三面張で直行している信濃川が蛇行していた頃の旧い流れをポールで再現するものですが、二六人いる地権者の皆さんは初めは作品設置に全員反対です。何回かの説明会のあと、受けいれてくれましたが、「田んぼには入れない。あんたたちはポールを運ぶだけ」という条件付きでした。それが次第に「この河川敷は風の流れがしょっちゅう変わるから、ポールに旗をつけるといい」と言うようになり、ついには五メートルごとに約七〇〇〇本、延べ三・五キロメートルにわたるかつての川の流れが蘇ったのです。

第二回展の、信濃川が一万五千年かけて削った断層面に高さ三〇メートル、幅一一〇メートルにわたって架けられた足場《信濃川はかつて現在より25メートル高い位置を流れていた―天空に浮かぶ信

▷オル・オギュイベ《いちばん長い川》[00]での開架図書館の様子[00]

瀬替え
治水工事のひとつ。蛇行して流れる川の流れを直流に変え、元は川だった場所を田んぼに変えて農地開発を行ってきた先人の知恵。

川はときどき、人の命を簡単に奪ってしまう。
川それはキラキラしていて宝石のよう
オル・オギュイベ《いちばん長い川》［00］

濃川の航跡》［03］は壮観でした。年代によって砂があり、礫岩がありとその地層の断面は楽しい。地上の土の積層は一〇〇年で一センチメートルといわれ、三メートル掘って野尻湖のマンモスの骨が出てきたのは私の高校生のころの体験ですが、川の流れの堆積はどうなのだろう？

この工事現場のような光景は、およそ私たちが普通考える彫刻とか絵画とは違う。しかしこれを見上げ、あるいは断崖面に架けられた工事現場の単管で組み立てられた足場板と階段を上り降りする体験は、私たちが信濃川とどう関わってきたかを伝えてくれます。それこそ母なる大地という、自然と人間の関わり合いとしての美術だと思います。

当時、国土交通省の河川局長だった尾田栄章さんが視察に来られました。あとで知ったことですが、氏は長良川の河口堰問題でも前線に立ちながら、川の三面張りやただ速く流すという方針の検討をしておられた方で、退官後も天下りをせずに全国の《打ち水大作戦》をやり、東日本大震災後の際には福島県広尾町で一般臨時職員として働いた方で、私も現地に伺ったことがあります。その後は家業で奈良に戻りますが、古代の水利についての『行基と長屋王の時代』（現代企画室）という研究書を上梓されました。この時は現役でもあり、何も話されませんでしたが、何を考えておられたのか、いつか聞いてみたいものです。私にとっては大切な兄貴分です。

この一帯には、韓国のホン・スン・ド（洪性都）の一本の木（《妻有で育つ木》［00］、スペインのジャウマ・プレンサの鳥の巣（《鳥たちの家》［00］）、その下につくられたフランスのジャン＝フランソワ・ブランによる地域の草花の花壇（《ブルーミング・スパイラル》［00］）、河川敷に設えられた坂口寛敏の《暖かいイメージのために―信濃川》［00］、ＣＬＩＰのトイレ《河岸の燈籠》［00］などがあり、楽しいサイトなのです。特に第一回展では中里エリアは川がテーマとなっていたので、信濃川や宮中取水ダムにアーティストの関心が向いていました。その流れで、第五回展ではＪＲ飯山線・越後田沢駅の横にアトリエ・ワンの《船の家》ができ、その中には河口龍夫の船《未来への航海》が設置されました。木材が軽やかに使われた美しい建築と作品です。

▷磯辺行久《信濃川はかつて現在より25メートル高い位置を流れていた―天空に浮かぶ信濃川の航跡》［03］（再展示［18］）

▷河口龍夫《未来への航海》［12］

2　十日町

十日町（北）

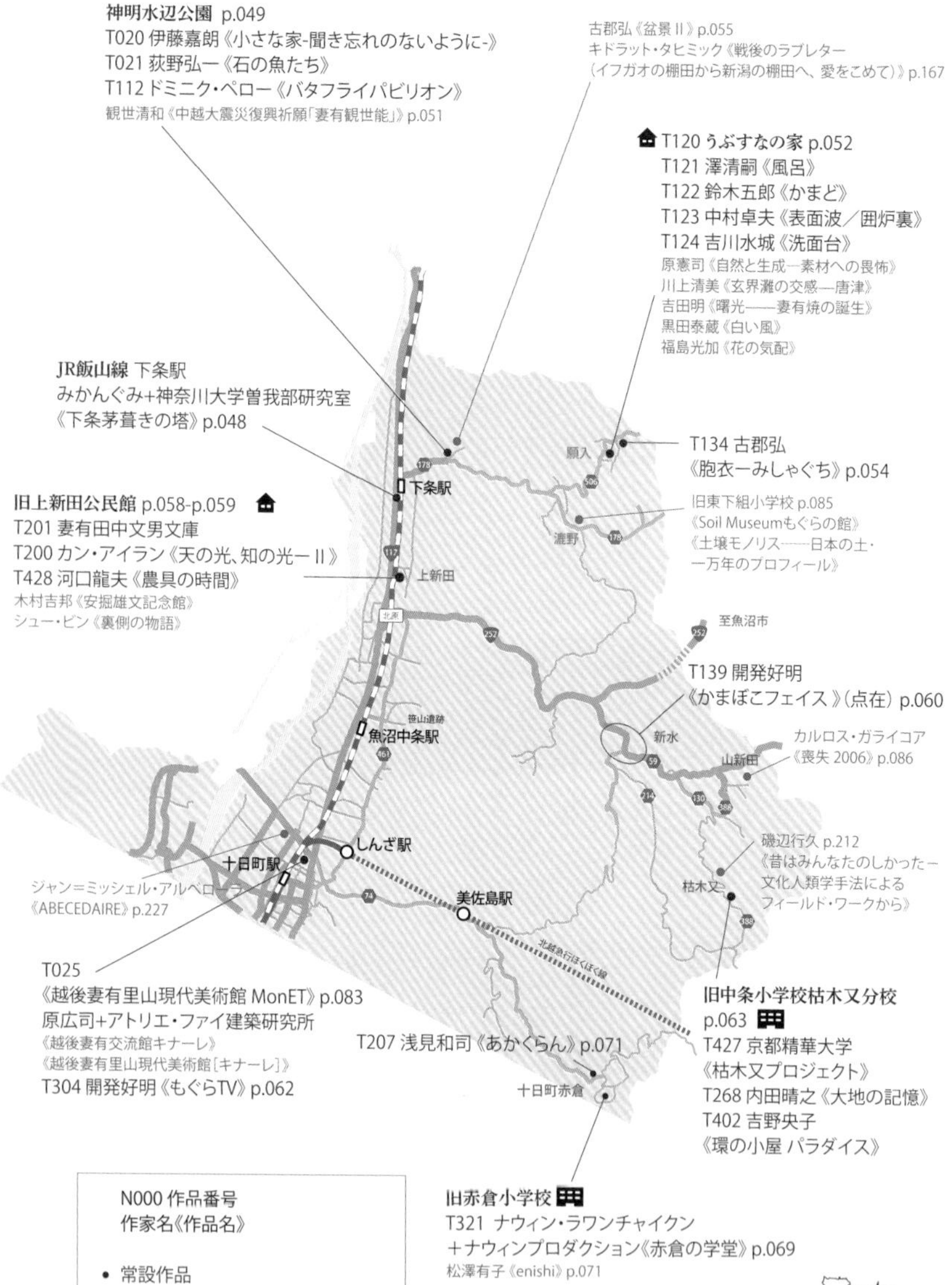

N000 作品番号
作家名《作品名》

- 常設作品
  ※公開状況は作品により異なる
- 公開終了作品
  （2023年11月時点）

廃校作品プロジェクト
空き家プロジェクト

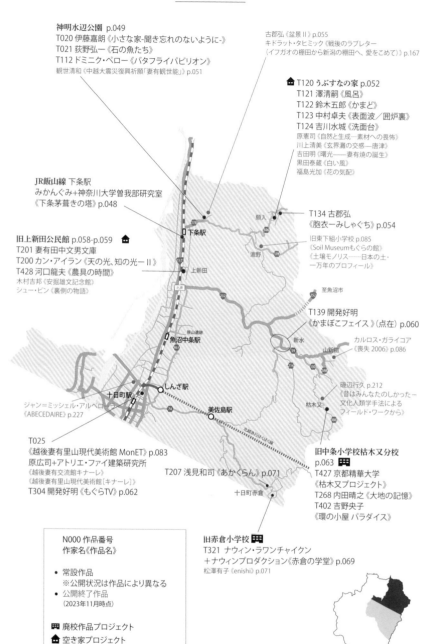

十日町（南）

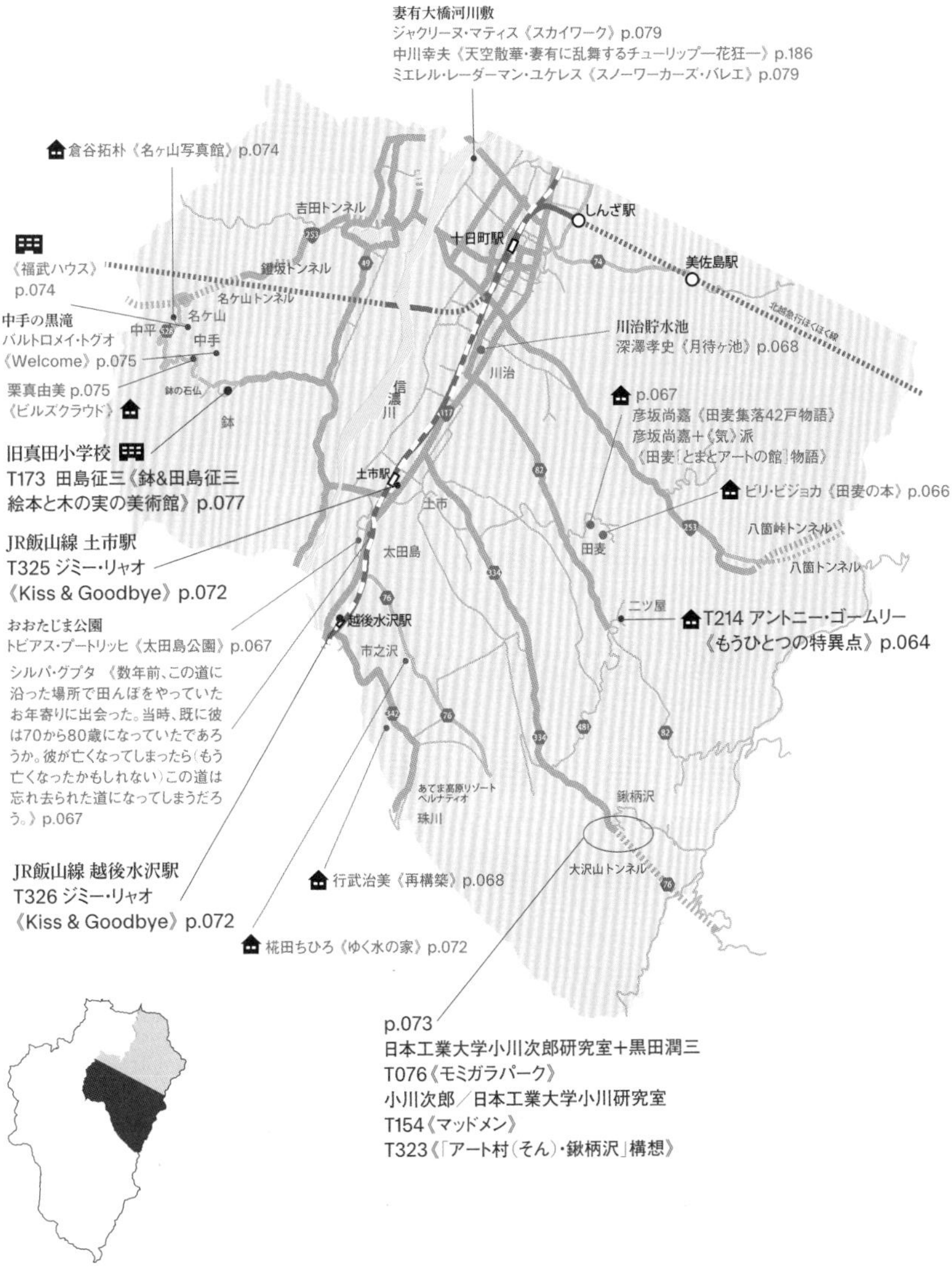
妻有大橋河川敷
ジャクリーヌ・マティス《スカイワーク》p.079
中川幸夫《天空散華・妻有に乱舞するチューリップ―花狂―》p.186
ミエレル・レーダーマン・ユケレス《スノーワーカーズ・バレエ》p.079
倉谷拓朴《名ヶ山写真館》p.074
《福武ハウス》
p.074
中手の黒滝
バルトロメイ・トグオ
《Welcome》p.075
栗真由美 p.075
《ビルズクラウド》
旧真田小学校
T173 田島征三《鉢&田島征三
絵本と木の実の美術館》p.077
JR飯山線 土市駅
T325 ジミー・リャオ
《Kiss & Goodbye》p.072
おおたじま公園
トビアス・プートリッヒ《太田島公園》p.067
シルパ・グプタ 《数年前、この道に沿った場所で田んぼをやっていたお年寄りに出会った。当時、既に彼は70から80歳になっていたであろうか。彼が亡くなってしまったら（もう亡くなったかもしれない）この道は忘れ去られた道になってしまうだろう。》p.067
JR飯山線 越後水沢駅
T326 ジミー・リャオ
《Kiss & Goodbye》p.072
行武治美《再構築》p.068
椛田ちひろ《ゆく水の家》p.072
p.073
日本工業大学小川次郎研究室＋黒田潤三
T076《モミガラパーク》
小川次郎／日本工業大学小川研究室
T154《マッドメン》
T323《「アート村（そん）・鍬柄沢」構想》
川治貯水池
深澤孝史《月待ヶ池》p.068
p.067
彦坂尚嘉《田麦集落42戸物語》
彦坂尚嘉＋《気》派
《田麦「とまとアートの館」物語》
ビリ・ビジョカ《田麦の本》p.066
T214 アントニー・ゴームリー
《もうひとつの特異点》p.064
吉田トンネル
鐙坂トンネル
名ケ山トンネル
十日町駅
しんざ駅
美佐島駅
北越急行ほくほく線
名ケ山
中平
中手
鉢の石仏
鉢
信濃川
川治
土市駅
土市
太田島
越後水沢駅
市之沢
田麦
八箇峠トンネル
八箇トンネル
二ツ屋
あてま高原リゾート
ベルナティオ
珠川
鍬柄沢
大沢山トンネル

下条《げじょう》

越後妻有地域のシンボルタワー

《下条茅葺きの塔》

長岡方面から国道一一七号で十日町に入って少しすると、JR飯山線の下条駅に着きます。駅近くの空き地にはみかんぐみの曽我部昌史が、この地域には昔から茅葺き職人が多かったことに着目し、その歴史を明らかにする《下条茅葺きの塔》を二〇一二年に建てました。その外観も内部空間も見応えがあり、地元の人たちが来客に解説をしたり、交流をしたりと賑わいがありました。曽我部さんは二〇〇三年にも、十日町市街地の飲食店で作品を展開してくれました。当時教えていた東京藝術大学の学生を中心に、そのネットワークを拡張したメンバーで、箸袋と缶ジュースのおまけシールを百種類ずつつくった《十日町《とおかまち》×十日町《じじょう》》という作品です。これは、「取り立てて特徴はないけれど、独特な雰囲気がある街だ」という十日町市街地の第一印象から始まって、制作に参加したゼミ生たちが不思議に感じた雪国特有の窓の位置やかまぼこ型倉庫など、地域のディテールを知っていく、若者のフィールドワークの成果が残されていて面白かったです。

▷みかんぐみ＋神奈川大学曽我部研究室《下条茅葺きの塔》[12]

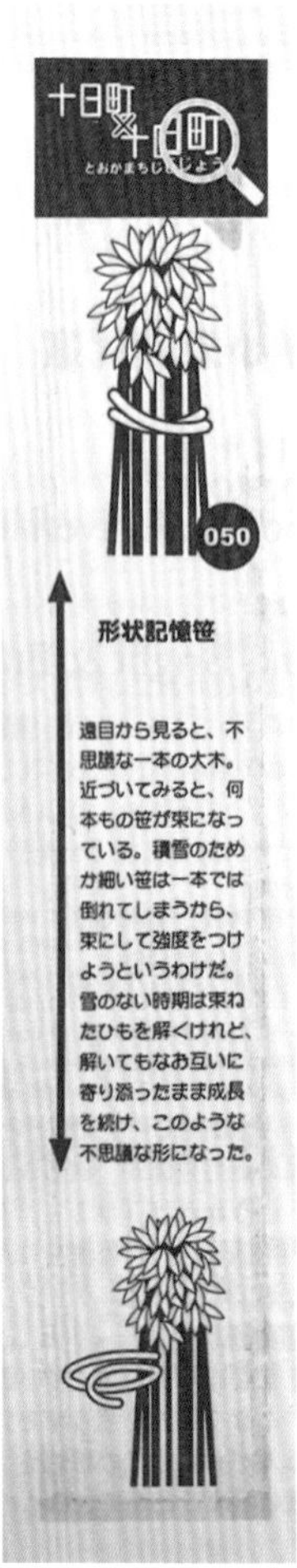
十日町×十日町
とおかまちじじょう
050
形状記憶笹
遠目から見ると、不思議な一本の大木。近づいてみると、何本もの笹が束になっている。積雪のためか細い笹は一本では倒れてしまうから、束にして強度をつけようというわけだ。雪のない時期は束ねたひもを解くけれど、解いてもなお互いに寄り添ったまま成長を続け、このような不思議な形になった。

△《十日町×十日町》の箸袋
二〇〇三年に、曽我部昌史＋拡張版東京芸大曽我部ゼミが手がけた、十日町市の市街地の飲食店で展開した作品。地域にまつわる豆知識が書かれている。

曽我部さんはさらに、池田修さんとともに松代の桐山《きりやま》集落にある大きな空き家を改修し、横浜のBankART1929に関係する五〇人を超えるアーティストの参加を可能にした《BankART妻有―桐山の家》［06］を手がけ、段差のある庭にプールをつくってくれています。瀬戸内国際芸術祭*では、伊吹島という島の土地の性格や歴史、産業を調査した結果をジオラマのような空間《伊吹しまづくりラボ》［13］を、いりこ加工場を改修してつくりました。彼は、サイトスペシフィック*な活動のあり方について、地域の住民との関わりを含めて私たちに多くの示唆を与えてくれました。

能舞台の機能を持つ東屋
《バタフライパビリオン》

神明水辺《しんめいみずべ》公園は下条の人たちが大切にし、いつも手入れをしている公園です。何かの作業か行事のあとでしょうか、公園の向かいにある、神明神社の境内に大勢の人たちが集まって二手に分かれて向かい合って地域の民謡〈新保広大寺節《しんぼこうだいじぶし》*〉をかけ合いで唄っていたのを見たことがありますが、地を這うように腹の底から何重もの音の響きが伝わってくるようで見事なものでした。今になってこれが「合わす」ということだと分かったのです。

第一回展での作品では、伊藤嘉朗の地下室《小さな家―聞き忘れのないように―》と、荻野弘一の石彫《石の魚たち》があります。地下室は小川の対岸にある一本のさるすべりを見るためにつくられたものです。

瀬戸内国際芸術祭
瀬戸内海に浮かぶ島々を舞台に三年に一度開催されている芸術祭。二〇一〇年に第一回展が開催され、北川フラムが総合ディレクターを務める。

サイトスペシフィック
設置される場所の特性を活かすこと。場所の固有性を重視し、土地の環境や人々の暮らし、歴史的、政治的、文化的な場の成り立ちなど、アーティストがさまざまな「場所の特性」を読み込んで作品を制作すること。越後妻有をはじめ、その後の芸術祭の流れになり、世界に広がった。

新保広大寺節
十日町市の無形民俗文化財（民俗芸能）に指定された唄と踊り。近世まで全国的に活躍した盲目の女性の旅芸人「越後瞽女（ごぜ）」たちが、全国を旅しながら各地に広め、日本民謡のルーツともいわれている。

作家が選んだ木があまりパッとしないと考えた地域の人が、オープン三日前に立派な「さるすべり」に植え替えたというエピソードも残っています。

さて、二〇〇四年一〇月二三日の新潟県中越地震の時は、この一帯は震源地に近かったこともあり被害が大きく、大切な公園の池の断崖も崩れてしまいました。この震災の復興事業として県の予算がつき、東屋をつくることとなりました。「それなら」ということで、パリのドミニク・ペローにお願いしに行ったのです。彼はフランス国立図書館［95］をつくり、ロシアのサンクトペテルブルクのマリインスキー劇場［03］の設計を国際コンペで勝ち取ったフランスを代表する建築家です。

私「あなたは世界一大きいマリインスキー劇場を設計するのですね？」
ドミニク「うん」
私「それなら世界一小さな劇場も設計できたらいいですね」
ドミニク「うん！」
私「能舞台を日本の田舎につくってくれませんか？」

こうして彼はこの地域の人が大切にしている公園に、東屋の機能を持った能舞台、あるいは能舞台の機能を持った東屋《バタフライパビリオン》

［06］をつくってくれたのです。橋懸りがある定寸の能舞台で、能の役者にとっては命である足の動かし方が、鏡面のステンレス屋根に映り込んでよく見える構造になっています。屋根は蝶の羽のように折り畳むことができる、雪国仕様の劇場です。その担当者には、ペロー事務所の日本人スタッフの前田茂樹さんと現地の渡辺和夫さんがついてくれました。こけら落としは、能研究者であり、明治大学の法学者でもある土屋恵一郎さんがディレクションに加わってくれたおかげで観世流二六世宗家・観世清和が「羽衣」を演じるという贅沢な公演《中越大震災復興祈願「妻有観世能」》［06］が上演されました。その後もここではBankART1929にゆかりのあるアーティストによる上演も行われています。

▷ドミニク・ペロー《バタフライパビリオン》［06］で行われた《中越大震災復興祈願「妻有観世能」》［06］

願入《がんにゅう》

土地の精霊を協働で呼び起こす

《うぶすなの家》

下条から県道一七八号に入り、さらに奥に進むと山々に囲まれた願入という集落があります。この願入集落にはかつて六軒の家がありましたが、二〇〇四年に起きた新潟県中越地震の影響で、そのうちの一軒に住んでいた水落丑松さん・キノエさんは市内に移らざるを得なくなりました。願入は、震源地から五キロしか離れていない、十日町市内でも震源地に最も近い集落で、集落にいたるまでの道や棚田も地震で大きな被害を受けていました。この水落さん宅は、越後中門造り*の民家で、大棟梁の田中文男*さんの見立てでは作品展示場所として使用可能とのことだったので、入澤美時*に全体のディレクションをお願いしました。入澤さんは、民家研究の第一人者で民家の再生を数多く手がけている安藤邦廣さんにお願いして使えるようにしてくれました。肩を寄せ合って暮らす願入集落の六軒のうち一軒がなくなると、ドミノ倒しになりそうな危惧がありました。ここに八人の焼き物のエースたちに登場してもらい、被災した空き家は《うぶすなの家*》として再生しました。現在は澤清嗣《風呂》、鈴木五郎《かまど》、中村卓夫《表面波／囲炉裏》、吉川水城《洗面台》の作品を見ることができますが、以前は、原憲司（美濃）、川上清美（唐津）、吉田明（妻有の土）、黒田泰蔵（白陶土）、福島光加（生花）など、焼き物や生花の作家も参加してくれました。入澤美時の、共同・協働という相互扶助を通して土地の精霊を現代に蘇らせようという執念のなせる技だったと思います。

　この民家は築九九年で、曲がった梁や根曲り杉を切断した板貼りの様子に土地の大工の力が感じられ、今も人気があります。《うぶすなの家》では、願入集落を含む、東下組《ひがししもぐみ》の女衆が中心に運営するレストランがオープンし、避難所での生活で育まれた、地元の女性たちのネットワークが発揮されました。二〇〇六年、五〇日の開館でレストランの売上千四百万円の収入というのが、その結果でした。

　入澤さんとは短く不思議な十年間を、密度濃く関わりました。記憶が定かではないのですが、ある日突然、彼が編集長をしていた焼物専門誌『陶磁郎*』で、倉俣の作品《ポチョムキン》に焼物を置い

越後中門造り
雪国に広く見られる建築様式で、うまやを母屋に取り込み、それを前にのばすことで、雪の季節にも出入口を確保できるよう工夫されている。

田中文男
（一九三二—二〇一〇）大工棟梁。工務店経営者としての仕事と並行して、古民家や社寺建築の学術調査研究・修理修復・保存に携わった。一九五七年には秋山郷の民家調査も手がけている。

入澤美時
（一九四七—二〇〇九）編集者。入澤企画制作事務所を設立し、『季刊 陶磁郎』『季刊 つくる陶磁郎』『もくたろ』といった雑誌を創刊し、編集長を務めた。

うぶすなの家
ディレクション＝入澤美時
改修設計＝安藤邦廣
◁ ①うぶすなの家［06］②吉川水城《洗面台》［06］③鈴木五郎《かまど》［06］④澤清嗣《風呂》［06］⑤中村卓夫《表面波／囲炉裏》［06］でのランチの様子

①

②

③

④

⑤

て写真を撮りたいと言ってこられたのが最初ではなかったのかしらん? とにかく「お前とは会ったことがなかったが嫌いだった。しかし大地の芸術祭を見て回って、これはすごいことだと思った」とおっしゃる。聞けば新宿高校で全共闘運動に入り、『美術手帖』の編集部を経てきたらしい。INAXギャラリー*の入澤ユカさんのパートナーであり、吉本隆明、中沢新一、森繁哉らに関する本を上梓していて、入澤さんはそれらの人の、その時代・世代の思想的課題を具体的実践的な経験から評価していました。人がいなくなった願入の家を、入澤さんと一緒にやってみたいと思ったのです。私は焼き物を少しは学び、入澤企画制作事務所のスタッフだった坂井基樹さん、永峰美佳さんと多くの仕事をしました。踊り手であり、実践者である森繁哉さんには芸術祭にも参加していただき、踊りについての理解が進みました。大棟梁・田中文男さんも入澤さんとの縁がきっかけです。《うぶすなの家》が現在も大地の芸術祭の大切な拠点であるのは彼が全力をもって取り組み、彼が知る焼き物の名人たちと関係者に惜しみなく声をかけてくれたからだと思います。その後、私についての本『希望の美術・協働の夢 北川フラムの40年 1965—2004』*をつくってくれました。入澤さんはあっという間に亡くなってしまったのですが、その短い入院期間、家が近かったこともあり何度かお会いできました。入澤さんが他界されたあとの空虚は大きなものでした。何しろ強引、しかし勉強家で、実践的な同世代の映し鏡のような存在であり、私にとっては珍しく友人としてのつきあいがあったと思います。

願入集落には、古郡弘の《胞衣—みしゃぐち》[06]もあります。古郡さんはアーティスト・アー

『陶磁郎』
一九九五年に双葉社が創刊した現代陶芸の専門誌。二〇〇六年休刊。

INAXギャラリー
一九八一年、伊奈製陶が京橋につくった伊奈ギャラリーとして開廊。企業が運営するノンプロフィットギャラリーとして四〇年間、建築やデザイン、現代アートを中心に企画展を開催。二〇二〇年に閉廊。

『希望の美術・協働の夢 北川フラムの40年 1965—2004』北川フラム著、角川学芸出版、二〇〇五年

◁古郡弘《盆景Ⅱ》[03]

ティストとも言われるべき作家でした。氏は願入だけでなく下条地区とも関わりが深く、二〇〇三年には下条地区の休耕田を二枚使って伝説的な作品《盆景Ⅱ》をつくっています。次に記すエピソードは、すべて作品が出来上がってから聞いた話です。

二〇〇三年は長い雨が続いた年でした。開催三週間前には集落の長老の反省会がもたれました（反省会とは運動会や道普請*などの行事の後に行われる、反省会と称する飲み会でもあることも多い）。芸術祭まではあと少しだが作品はほとんどできていない。それもそのはず、アーティストは毎日ひとりで働いているが、特に何の手伝いの要請もないので、暇になった集落の人がポツリポツリ手伝っているだけでした。長老たちの反省会で「このままでは到底無理だから、イメージの三分の一くらいで止めたらどうかと古郡さんに言おう」という相談がなされました。そのうち、酔いがまわるにつれて、こんな意見も出たそうです。「しかしあの北川っていううるさい奴が、東下組の人たちは作家に泣きを入れたと、そこら中で言うに決まっている。」下条地区は団結の固いところで、それを誇りにしている地域

です。結局、翌日集落全体に出たお触れは、次のようなものでした。

「お勤めの人は有給休暇を取ってでも手伝いに来られたし、子どもたちは学校が終わったら一目散に現場に来て手伝うべし。」

毎日続く雨で田んぼは泥だらけ。そこに下条地区の老若男女の手で畔土《ベト》*と藁と木っ端で砦がつくられ、それどころか制作予定地の田んぼも一枚増えて、当初の予定を超えた大きな壁もつくられました。畔には滑り止めが敷かれ、田んぼは足跡で凸凹でした。こうしてできた作品は堂々として、かつての豪族のお屋敷のようで、あたりを払っていました。こんな作品は一見して良さがわかるもので、口コミで評判が広まり、人気が殺到した作品でした。集落総出でつくった作品に人々の思い入れは強く、会期が終わって撤去の日の夜、集落のほとんどの人が出てきて、かがり火を焚いてオカリナのコンサートが催されたといいます。この記憶が地域の誇りになるのだと、のちにわかってきました。下条地区は今でも大地の芸術祭の拠点です。

二〇〇〇年の第一回展の時は、古郡弘は川西の千手《せんじゅ》神社の森に単管を持ち込んで《無戸室《うつむろ》》をつくりました。ある日制作の現場に行ったら、上から下まで赤い土でできているような泥人形が出てきましたが、それが古郡さんでした。こへび隊*ひとりが手伝いに送り込まれましたが、何も言わず黙々と働くだけ。一体どうするつもりなんだろう？　それを遠くから見ていた近くの学校の子どもたちが、布切れをもってきて満艦飾《まんかんしょく》で美しく飾り付けたのでした。

古郡さんについては後日談があります。第三回展の時の東下組での話。あれだけすごく盛り上がったし、撤去するのを残念がったのだから、当然地域の人は古郡さんの作品をやりたがるだろうなと思っ

道普請（みちぶしん）
協働で道路や水路などの修理や草刈りなどの環境整備をする地域行事。

畔土（ベト）
田圃の畔に用いられる土のことで、新潟で用いられている言い回し。

▷古郡弘《胞衣―みしゃぐち》[06]

て持ちかけたところ、冷たい反応でした。「あんな仕事はもうやりたくない」とのこと。「それなら他の集落でやりますよ」と私。しかし結局は地域の人たちが自分たちで場所を探してくれて、同じような経緯が続きました。それが現在残っている《胞衣─みしゃぐち》[06]です。古郡さんは毎回、大判の紙に細密な絵を描いて持ってきます。彼は全時間を作品をつくるために使いたいのでしょう。彼にまつわるすべての話は結局そこに行きついてしまいます。

第八回展では、コロナ禍で「お別れの会」もちゃんとできていなかった想い出のアーティストの追悼展を開催しました。古郡さんもそのひとりで、二〇二二年九月一六日には展示に合わせて「メモリアルツアー」を行いました。この時のツアーには、友人の西雅秋さんらに骨を折ってもらって、うぶすなの家で食事をしながら回想をして、《胞衣─みしゃぐち》をまわり、頑張ってくれた建築家の榀井正澄さんらが集まりました。その折、うぶすなの家のあたりを見ている品の良い方をご案内しました。その方が実は岐阜の関ケ原製作所の二代目、矢橋昭三郎さんだったのです。その関ケ原製作所一帯に古郡さんの作品の一室があるというので、先日岐阜県庁の方々に案内されて行ってきました。「せきがはら人間村」と呼ばれるその敷地の中に、展示室・カフェ・セミナールーム・社宅などの小さな感じの良い建物が点在していて、いくつかある芝生広場には彫刻が設置されています。たまたま残雪がある小路を歩けば雉子の三本指の足跡があったり、隣家の庭には畑が掘られていたりと、あたり全体で、木々と植物と日常の生活がゆったりとともに存在しているという感じでした。かつて、スペインはバ

こへび隊
大地の芸術祭を支えるサポーターの総称。第一回展の準備段階に結成され、世代・ジャンル・地域を超えた人びとが関わっている。作品制作から会期の運営、作品の案内などさまざまな場面で活動している。

▷右＝古郡弘《Banco 盤古》[82]（せきがはら人間村）

ルセロナのアントニオ・ガウディ・イ・コルネが、スポンサーである織物業者グエル伯爵の「労働者にとって、働く、生活する、学ぶ場所が近くにあることが理想的」という考えを体現して、学校や病院がある村「コロニア・グエル」をつくり始めました。「せきがはら人間村」もある種、初期資本主義のユートピア的可能性が、かくあったのだと思い出させるようなところでしたが、そこに古郡さんがイタリア留学時につくった大理石の彫刻やブロンズの作品の一室があり、氏の資質の根源を見たような気がしました。このうぶすなの家や《胞衣─みしゃぐち》の一帯もそうなれば良いと思ったことでした。

上新田《かみしんでん》

集落の大切な公民館の再生
《妻有田中文男文庫》

下条駅から国道一一七号を少し南下し、線路を渡った先に旧上新田公民館があります。越後妻有の民家を建物調査とその土地の風水も加味して検討して下さった田中文男氏の蔵書が寄贈され、この公民館の一階で収蔵することにしたのですが、ひと工夫しようということで、韓国のカン・アイラン（龔愛蘭）が参加することになりました。二〇〇九年、うっすらと暗い室内に図書の表紙《天の光、知の光－II》[09]が光っており、最高の棟梁と言われた人の勉強と人柄が偲ばれる部屋になりました。

二〇〇六年、集落の人たちが大切にしていた火の見やぐらのある旧上新田公民館が使用できること

▷せきがはら人間村

▷妻有田中文男文庫　カン・アイラン（龔愛蘭）《天の光、知の光－II》[09]

◁シュー・ビン（徐冰）《裏側の物語》[18]

になり、木村吉邦がこの地域を旅した文化・文政期の和算家安堀雄文を紹介する《安堀雄文記念館》として、二進法の原理による不思議な空間をつくりました。当時のコンピュータのようなもので面白かったのですが、二〇〇九年の第四回展後に撤去され、二階には二〇一八年、中国のシュー・ビン（徐冰）が参加し、雪舟の「富士三保清見寺図」を再生した《裏側の物語》が展示されました。「再生した」といっても模写ではなく、紙の裏側に植物の草、木の枝などを使って構成し、それが表側から見れば見事な山水図として見られるという画期的なものでした。残念ながらこれは一期だけの展示となってしまい、これに匹敵する名作の登場が待たれたのでした。

そこで現れたのが、河口龍夫の《農具の時間》[22]。長年使用され今は納屋や倉庫に眠っている農具に、三つ葉や青豆などの植物の種子を鉛で封印した農具の作品《「関係―農夫の仕事」（農耕空間）》[03]が、まつだい「農舞台」のギャラリーの天井、壁面、床に設置されていましたが、改装のため移設せざるを得なく、場所の検討をしていたなかで考えられたものでした。この上新田の二階が空くことになり、河口さんは新たに《農具の時間》を構想しました。部屋は黄一色で塗り込められ、吊るされた農具は実際に

使用される身体の動きに合わせた位置に設置されています。観客はその農具に合わせてポーズをとる。人の動きに従ってきた農具に、今度は逆に人間が従うという考えのもと生まれたものです。

新水《しんずい》

ユニークなかまぼこ型倉庫

《かまぼこフェイス》《もぐらTV》

上新田から再び国道一一七号を南下し、北原《きたはら》の信号を曲がって県道五九号の山道を進むと新水集落があります。新水に入ると、開発好明がかまぼこ型倉庫正面シャッターに描いたユーモアある絵《かまぼこフェイス》[06]が現れます。かまぼこ型倉庫は北越急行ほくほく線トンネル工事で使用されていたコルゲート管*が豪雪に強く便利だという発想からつくられたもので、越後妻有全体にどのくらいあるか知れないほど多くあります。この倉庫で集落の表情をつくろうとアーティストが考えた優れたもので、よくあるシャッターアートとは出来が違います。

開発好明は私たちにとっては特別な作家です。なぜかというと、第一回展の芸術祭から千変万化の提案をしてくれたり、足りていない部分に新しい視点でユニークな補強をしてくれ、越後妻有を実に豊かにしてくれているのです。第一回展の時には、松代の公園にある湖の中に浮島をつくって、そこで外界とのつきあいなしに自給自足の生活を三〇日行うプランを考えました。開発さんはきわめて実

▷河口龍夫《農具の時間》[22]

コルゲート管
薄鋼板に波付けを施してつくられ、軽量で強度が高く、取扱いや運搬が容易であり、経済性にも優れた鋼製品。

◁開発好明《かまぼこフェイス》[06]

践的な作家です。

二〇一〇年にはアーティストとニューカッスル大学・多摩美術大学の学生をまとめて、松之山の浦田にある古民家を改修した《オーストラリア・ハウス》で、日豪学生交流レジデンス（JAAM：Japan Australia Art Musings）をまとめあげてくれました。その美術的見識と働き続ける誠意、統率力はすごいものでした。

ついには第六回展の越後妻有里山現代美術館［キナーレ］前の小さな芝生広場に地下室をつくり、もぐらのぬいぐるみに入った本人が、毎日ゲストを迎えて《もぐらTV》［15］放送をFMとYouTubeで同時生配信しました。YouTubeのアーカイブ映像は現在も見ることができます。ゲストも十日町市の関口芳史市長や大巻伸嗣さん、小林武史さんといったアーティストなど豪華なメンバーで芸術祭に活気を与えてくれました。

開発さんは横浜のBankART1929では、市井の達人をゲストに《100人先生》*というプロジェクトを行ったり、さらには二〇一一年東日本大震災後の時は自ら各地を巡るなど、アーティストとしての活動は目を見張るばかりです。その縁で、彼が被災地に持っていった高橋士郎の《水神》は、二〇一二年の農舞台で活躍してくれたのです。福島の南相馬では、同年三月一五日から《政治家の家》*というプロジェクトで復興へのアピールを行ったりしています。氏はアートの領域を広げるだけでなく深めていて、学ぶことが実に多い人です。

△開発好明《もぐらTV》［15］

《100人先生》
開発好明によるプロジェクトで、プロフェッショナルな講師を呼ぶのではなく、地域の人同士でちょっとした特技を教え合い、学び合うことを楽しむ活動。二〇〇九年に新宿で開催して以来、三宅島、横浜、種子島、市原などさまざまな場所で展開されている。

枯木又《かれきまた》

集落と大学の関わり

《枯木又プロジェクト》

新水からさらに県道三八八号に進むと、十日町市の東部最深部にある枯木又集落にたどり着きます。古代米をつくったりして意欲的に活動をしていましたが、現在は一〇軒ほどの集落です。旧中条小学校枯木又分校という廃校を作品展開の場所として開けることになって、二〇〇九年に京都精華大学がこの枯木又分校の展開に関わることになりました。作品は教師・OB・OG・院生たちなど、京都精華大学にゆかりのある作家たちがつくっています。校舎、グラウンド、地域の土地・建物と総合的な活動を見せてくれます。

毎回作品が入れ替わっていますが、現在も校庭に内田晴之の《大地の記憶》[09]、民家に吉野央子の《環の小屋 パラダイス》[22]というニワトリ小屋が健在です。

芸術祭には大学が関わることが多い。私としても学生が現地で芸術祭の実体験ができるのはすばらしい事だと思っていました。しかし学生が頑張れば頑張るほど作品の鋭角性、個性が失われていく傾向がある。先生が良いアーティストで学生が工房のスタッフである場合は作品が豊かになったりするのですが、とかく仲間や住民との表面的なつながりの方に行きやすい。学校内でのバランスもある。

《政治家の家》
二〇一一年三月一五日に福島第一原発で発生した水素爆発で、一挙に数百キロ圏内に放射性物質が飛散し、多くの人が避難した。開発好明は、一年後の同日、原発から二〇キロの南相馬市に、現場の空気を肌で感じてもらうため、政治家限定の休憩施設《政治家の家》を制作した。

私はすばらしい作品には協働性や、土地や時代の潮流が押しあげるものがあると思います。これは大岡信さんが言うところの「うたげ」だと思いますが、そこに「孤心」、つまりアーティストの拘りがなければ、ふやけた一般的な合意、社会的な無難さに落ち着きやすい。地域は若者との交流を望むことも多いので要注意です。京都精華大学も吉野央子、内田晴之という強い個性を持つアーティストがいて長く続きましたが、前回の第八回展で学校としての参加・責任はなくなりました。しかし芸術祭の持つ面白さ、場所の力、地域性、協働性を学生に伝えたい、と考えてくれるアーティストもたくさんいてくれて、厳しくも楽しい今後の課題です。

二《ふた》ツ屋《や》・田麦《たむぎ》・太田島《おおたじま》・珠川《たまがわ》

人間と自然の関わり

《もうひとつの特異点》

アントニー・ゴームリーは人間という自然界の奇跡をさまざまな観点から捉えようとし、例えば目・耳・鼻・口という開口部から考えてきたアーティストです。ここ越後妻有では、二ツ屋の民家にワイヤーを張り、ワイヤーによってかたちづくられる形態が、ある視点から見れば人型に見えるという作品《もうひとつの特異点》［09］を展開しました。彫刻家の氏にとっては珍しい作品です。構造建築家の金箱温春が全面的に参加して、緊迫感のある空間をつくりあげてくれました。

［09］▷京都精華大学《枯木又プロジェクト》

アントニー・ゴームリー《もうひとつの特異点》[09]

ゴームリーは人間が自然の中にあって、自然とどう関わろうとしてきたかという実例をアルタミラやラスコーの洞窟壁画以来、コンスタンティン・ブランクーシ*にいたるまでの具体的な事例を参照するという仕事を手がけてきました。極東の島国にいる私たちにとって、それがまたひとつの大切な参考例になると思います。

印象深い公開終了作品

これまで八回の芸術祭が開催され、制作された作品の八割近くが会期終了後に撤去され、今は見られなくなってしまっています。会期が終わると反省会や実行委員会が数多く開かれ、その後次回展に向けた作品の公募が行われ、だいたい一年ほどで作家の視察、提案、調整、地元での説明会、企画発表などが行われ、次の芸術祭が始まるわけですが、会期と会期のあいだに何十回か、この地域を巡っているわけで、今はなくなってしまったひとつひとつの作品に愛着があり、そこで働いていた作家や地元の人々、サポーターの顔や立居振舞が走馬灯のように脳裏を流れていきます。

《もうひとつの特異点》がある二ツ屋集落に近い田麦集落では、二〇〇六年に彦坂尚嘉とビリ・ビジョカ（カメルーン）の力のある作品が制作されました。ビリ・ビジョカは田麦の壊れかけた蔵の内部を選び、三週間の滞在できちっとした内部空間をつくり、何も書かれていない本を置いて図書館として使いま

▷彦坂尚嘉《田麦集落42戸物語》[03]

*コンスタンティン・ブランクーシ（一八七六―一九五七）ルーマニア生まれ。二〇世紀を代表する独創的な彫刻家。二〇世紀の抽象彫刻に決定的な影響を与え、ミニマル・アートの先駆的作品も残した。

した(《田麦の本》)。彼女はこの場所や出会った多くの人たちに親しみを感じ、実にゆったりと豊かに滞在生活をしているように見えました。その雰囲気は気持ちの良いもので今も私を浸します。彦坂尚嘉は《田麦集落42戸物語》[03]や「《気》派」というグループとコラボレーションした展示《田麦[とまとアートの館]物語》[06]を行い、会期中はアイスクリームをつくったり、コンサートやシンポジウムを行ったりしました。氏のこれにかける熱意は強く、住民票を十日町市に移してまで活動をしてくれました。彦坂さんは、二〇〇九年に松之山にできた東京都市大学手塚貴晴研究室の空き家改修によるレストラン《黎の家》[09]でも、手塚チームの古いナベ・カマと合わせてウッドペインティングを制作してくれています。

太田島集落は国道一一七号沿いにある土地で、二〇一五年インドのシルパ・グプタが今は使われなくなった道路のアスファルトを集め、大きな球、《数年前、この道に沿った場所で田んぼをやっていたお年寄りに出会った。当時、既に彼は七〇から八〇歳になっていたであろうか。彼が亡くなってしまったら(もう亡くなったかもしれない)この道は忘れ去られた道になってしまうだろう。》[15]をつくり、その忘れられた道をふさぐように設置しました。彼女はその道で写真を撮り、こだわりの道情報を載せて、ポストカードにして配りました。存在感のある作品でした。

二〇一八年にはこの国道の反対側の低地に、スロベニア出身のトビアス・プートリッヒが《太田島公園》[18]というタイトルの水循環のコントロール装置をつくりました。これは越後妻有の農業が

▷シルパ・グプタ《数年前、この道に沿った場所で田んぼをやっていたお年寄りに出会った。当時、既に彼は七十から八十歳になっていたであろうか。彼が亡くなってしまったら(もう亡くなったかもしれない)この道は忘れ去られた道になってしまうだろう。》[15]

棚田や瀬替えといった水を扱う知恵に感銘を受けたもので、ここでは水滴、霧、獅子おどし、気泡、水のシャワーといった水の状態が体験できるもので、私は名作だと感じ入った次第です。

その他、国道沿いの近くの川の溜池では深澤孝史が、仏教と民間信仰が習合した月待行事「二十三夜講」の供養塔をつなげたユニークで楽しい舟を繰り込んだ作品《月待ヶ池》［18］をつくったのも面白かったです。

ＪＲ越後水沢駅からあてま高原リゾートベルナティオに向かう途中の珠川にも、忘れ難い作品がありました。行武治美の《再構築》［06］です。ベルナティオの小道を入ったところに小さな作業小屋があって、それが青空と森の光を受け反射して周囲に溶け込んでいます。それは小屋の内外に貼り込まれた、手で切り出した数千枚の丸い鏡の反射によるものです。特に、中に入るとそれは何層にも乱反射し、人の姿すら曖昧になっていくのです。アーティストはたくさんの場所を訪ね、ついに空の青と緑が交響するこの場所を見つけたのです。その時は芸術祭オープンの三か月前で、行武さんは大学講師の職も辞め、ひとつひとつの鏡を切り、そこにバネをつけ、壁や床や天井に貼り付けていくという作業をしたのです。この鏡片をひとつひとつ切っていくという作業があってこその作品だとつくづく思ったものです。機械による自動的な切断だとしたらこうはならなかった。それがすごい。手作業の持つ力がよくわかったのです。

▷行武治美《再構築》［06］

集落と世界がつながる

《赤倉の学堂》

赤倉は越後妻有地域の中で、一番古い集落で、平家の落武者が住み着いたと言われています。この集落で受け継がれる赤倉神楽*は、今もなお毎年九月に舞われています。タイのチェンマイに住むナウィン・ラワンチャイクンは、この古い集落に何度かやってきて山地にある農村の生活や四季を体験し、すばらしいプロジェクトをつくり上げました。具体的なかたちとしては、ルネサンス期の画家ラファエロの名画である《アテネの学堂》の絵画構造を参照したポートレートです。直径四メートルの半円形の中心に旧赤倉小学校が描かれ、赤い色を基調として、現在、あるいは赤倉で生きた人々が描かれています。ナウィンは集落の一軒一軒を訪問し、話を聞き、アルバムを見せてもらいました。つまりこの作品は赤倉の数世代にわたる肖像アルバム史です。

この頃、ナウィンは長男としてお父上の生活上の問題も抱えていました。九〇歳近い高齢で、チェンマイの商店街で雑貨商をやっておられる。毎日店に出られるのだが、色々な勘違いも起きる。想像できますね。儲かっているわけでもない。兄弟もやめたら良いと言う。外からはわからないさまざまな困難があるようです。そんななかで、歳をとってもわらびや山野草を採ったり、農業をやっている

赤倉神楽
十日町市十日町赤倉十二社境内で開催される神事芸能。「庭舞い」「剣の舞い」「岩戸舞い」「面神楽」の四つの演目で構成されている。一九七六年に市の無形民俗文化財に指定された。

赤倉のお年寄りの元気な姿を見て、ナウィンはお父上の商売の継続を応援する気になっていきます。こんな話を私も断片で聞いたりしていました。

このプロジェクトで圧巻なのは、この山の中の小学校にある八メートル×十一メートルほどの体育館兼講堂の舞台のスクリーンに流れる映像です。彼が撮った赤倉の四季の映像に始まり、タイに帰ったナウィンが、映像付きの手紙を赤倉の人々に送るという内容で、字幕は英語。実際の手紙も体育館の壁に貼ってあります。

そこには、東南アジアの街なかで近郊の人たちの商品を扱っている、きっと大変な九〇年を生きてきたであろうタイのお年寄りと、北東アジアのユーラシア大陸から分裂してできた島国の、そのまた山奥の豪雪地で農業をやりながら戦中、戦後、そして高度経済成長期を生き抜き、その後の若者の都市流出によって過疎化していく赤倉集落のお年寄りの姿が映し出されます。絵画と、神楽や団欒の音楽や会話が交差する、やわらかで懐かしい、浸透し合っていくコミュニケーションの中に身を浸す体験でした。一人ひとりの人生と地域の生活の時間が包まれている時空間というものでしょう。会期の終了後も、何度か私はこの体育館に通うという至福の時間を持ったのです。二〇一二年にナウィンは同型の同色のキャンバスにチェンマイの街と人々を描き、その作品を以前からある作品の裏に立てて、併わせて鑑

賞できるようにしました。

《enishi》《あかくらん》

この学校ではナウィン以前にも名作が登場しています。松澤有子の《enishi》［09］はマチ針三〇万本で梯子や自転車をつくったものが、この体育館でかすかに光るという美しいものでした。これは地域のご婦人たち、それこそ五〇代から八〇代までの方々が、朝食を食べ終えてから加わり、途中昼食を取りに家に帰るだけで、晩御飯の時間になるまで、昔とった杵柄とばかりに楽しんで参加してくれた結果でした。彼らは「楽しかった。またぜひやりたい」と言ってくれたのですが、次の芸術祭の機会にそのような作品制作のお手伝いをお願いできず、残念でした。

赤倉小学校に登る手前で道が二つに分かれるところがあります。この分岐には浅見和司の《あかくらん》［09］があります。浅見さんはシンプルな形の切り抜きを得意とするアーティストですが、ここでは集落全員の屋号を入れ込んだ、いわば集落案内板をつくってくれました。

また、今は由布院に住んでいる鈴木寅二啓之が第一回展と第三回展で二度にわたって力作を制作したことも思い出します。

▷ナウィン・ラワンチャイクン＋ナウィンプロダクション《赤倉の学堂》［15］

▷松澤有子《enishi》の制作に携わった赤倉集落の方々

水沢《みずさわ》（土市《どいち》・越後水沢《えちごみずさわ》・市之沢《いちのさわ》）

物語のある作品

《Kiss & Goodbye》《ゆく水の家》

ジミー・リャオ（幾米）は台湾出身の絵本作家でファンが多く、世界の一五か国以上で翻訳され出版されています。ジミーは越後妻有で、JR飯山線の隣りあった二つの駅、越後水沢駅と土市駅でかまぼこ型倉庫に着想を得た作品《Kiss & Goodbye》［15］をつくりました。

この作品には物語があり、主人公の少年小樹（シュウ）くんが飯山線に乗って遠くに住んでいるおじいさんに会いに行くという話で、絵本『幸せのきっぷ Kiss & Goodbye』（現代企画室）としても出版されました。土市駅の部屋の中には飯山線から見られる風景の原画が飾られている他、実際絵本が動画で映写されていますし、もう一方の越後水沢駅は小樹くんが飯山線でともに旅をするパートナー・犬のプリンの背に乗っている場面が作品化されています。

作品のまわりには地域の人がつくったふくろうの小さなトーテムポールが植栽の中に建っていたり、会期中に地元の人が丁寧に対応してくれたりと、ジミーと地域の人との温かい交流が感じられます。

十日町市街地方面から越後水沢駅に向かう途中で左手に入り、県道七六号を進むと市之沢集落があります。川の蛇行によってできた平地にある落ち着いた集落で、今でも三〇世帯の人々が暮らしています。

二〇二二年には椛田ちひろが空き家を使って、一階にはボールペン画で障子越しの美しい世界《ゆ

▷ジミー・リャオ（幾米）《Kiss & Goodbye》［15］上＝土市駅の作品　下＝越後水沢駅の作品

▷椛田ちひろ《ゆく水の家》［22］

く水の家》を描き出し、二階には樹脂を使った立体的な山をつくり出したのが印象に残ります。市之沢の人たちは、十二神社を大切にし、その林や川という自然の背景に実に敬意を払い、地域を盛り上げようと常に作家の誘致に熱心でした。それもあってこの地にできる作品は、充実したものが多くなりました。

鍬柄沢《くわがらざわ》

集落の覚悟

関越自動車道の塩沢石打《しおざわいしうち》ICを出て大沢山《おおさわやま》トンネルを抜けると、ちょっとした広場があります。チェーンの着脱場です。ここに地元の土を固めた造形物が三個（《モミガラパーク》[03]、《マッドメン》[06]、《アート村・鍬柄沢構想》[15]）あります。これは建築家小川次郎が日本工業大学の学生たちとともに制作したもので、そのひとつが、地域住民それぞれの人型を組み合わせた作品《マッドメン》[06]です。彼らはこのトンネルの横の、今や一〇軒もない鍬柄沢の人たちと永い活動を続けてきました。その集落に私も数度お邪魔しましたが、その決然とした態度と対応のやわらかさは身体の芯のところで私の

▷小川次郎／日本工業大学小川研究室《マッドメン》[06]

気持ちをしゃんとさせてくれています。

彼らの覚悟は、「やがてこの集落から人はいなくなるだろう。子弟が帰ってくるとは限らないと覚悟はしている。けれども芸術祭で若い人がこの集落に関わってくれるのは嬉しいし、手伝っていく」というものです。私としては力の及ぶ限り、このすばらしい集落に関わり、人々と協働していきたいと思っています。

山あいの集落の空き家・廃校作品

名ヶ山《みょうかやま》・中手《なかて》

国道二五三号の名ヶ山トンネルと薬師《やくし》トンネルの間に五〇メートルほどの空が抜けている場所があり、名ヶ山方面への出入口があります。ここから絵本と木の実の美術館がある鉢《はち》へ向かう道には、名ヶ山、中平、中手という集落があり、これがかつての瞽女《ごぜ》道*にもなっていた松代—十日町間の山越えのメインストリートでした。この三つの集落のうち名ヶ山には旧名ヶ山小学校があり、第二回展のこへび隊の寮にもなり、第三回展には、七つの画廊と東京大学総合研究博物館が参加した《福武ハウス》［06］にもなりました。名ヶ山や他の集落にも名作がつくられ、特に写真家である倉谷拓朴が家全体を使って、多様な地域に深く入り込んだ《名ヶ山写真館》［06］をつくり、作家自身が運営に携わっ

瞽女道
江戸時代から昭和初期まで、「瞽女」と呼ばれる目の不自由な女性たちが、三味線を手に縁のある村々を旅して歩いた道。瞽女は全国各地で姿を見られたが、なかでも新潟県は越後瞽女の一大拠点として知られる。

てくれたことも印象深いです。その写真館は普通と違っていて、遺影を撮るというもので、福武總一郎さんも私も撮ってもらいました。当初はこの学校や写真館を中心にして、この旧道に力を入れましたが、あれやこれやがあって沙汰止みになったのは残念なことでした。二〇二二年には、中手集落の一軒家に栗真由美が入って《ビルズクラウド》を制作しました。栗さんは地域の家一軒一軒を丁寧に写真に撮り、灯りの入ったミニチュアで家を再現したのです。それが古い空き家に吊るされると、家が集落・地域と入れ子になったような不思議な雰囲気を醸しだします。

忘れられないのは二〇一八年の第七回展での中手の黒滝でやったカメルーンのバルトロメイ・トグオ《Welcome》です。中手の人たちは集落の奥にある幻の滝「黒滝」を多くの人に見てもらいたがっていましたが、何しろ一般道から離れている道の、そのまた奥です。小路から黒滝までの杣道《そまみち》に高低が異なったさまざまな椅子が置かれました。移動に疲れた旅人のホッとひと息つくための場所でもあり、そこにいくつか置かれているトランクを見れば戦乱のなかの難民・移民への祈りのようにも見えるものです。アフリカ／ヨーロッパの作家にとってのテーマが見事に日本の山深い森の美しい道に着地したすばらしい作品でした。

▷倉谷拓朴《名ヶ山写真館》[06]

鉢

小学校が空間絵本として蘇る

《鉢&田島征三 絵本と木の実の美術館》

中手から真田《さなだ》トンネルを抜けて、山道を降りていくと鉢集落に着きます。鉢は全員が「尾身《おみ》」姓です。カラムシ（苧麻）づくりをしてきた人たちもおられる集落であり、芸術祭の地域への説明を始めた頃、最初に「やってもいいかな」と言ってくれたのが鉢の尾身浩さんと尾身昭さんです。集落からちょっと行ったところに「鉢の石仏」と言われている場所があって、集落の方がいつも綺麗に清掃している厳粛な空間があります。この地に移住した当時から人々は団結し、協力し合って生きてきたのでしょう。実際、十日町中心部からそれほど離れていないこの地には、かつては急な崖道を通らないとやってこられなくて、この間、豪雨のたびに通行止めになったことがありました。十年前に長野県の信濃大町に行く途中で「麻績《おみ》」という地域を通り、なるほど似た感じだなと理解したことがあります。二〇〇三年、この学校に全国のオミさんが集まって「オミ・サミット」が開催されたのも嬉しいことでした。

さて《鉢&田島征三 絵本と木の実の美術館》のことです。この美術館は、絵本作家・田島征三が

▷上＝栗真由美《ビルズクラウド》［22］
下＝バルトロメイ・トグオ《Welcome》［18］

手がけた学校全体を絵本にした作品です。その物語は、旧真田小学校が廃校になって三キロ離れたところにある鐙島《あぶしま》小学校に移った実在する三人の子ども（ユウキ／四年、ユカ／四年、ケンタ／三年）が、かつて育てていた学校菜園を見に真田小に行くところから始まります。学校にはトペラトトという子どもたちの夢をお腹いっぱいに貯め込んだ良いおばけがいて、子どもたちにつきあいます。屋外にある、ヤギの格好をした獅子おどしが動くと、校舎の講堂にある流木でできた子どもたちが連動して動き、楽しそうに迎え入れてくれます。流木と木の実、和紙でできたそれぞれの部屋は別格に楽しい。しかしトペラトトは三人に対し、「思い出の中にいるだけでなく、新しい世界に羽ばたけ」と背中を押し、彼らが家庭科室の壁を突き破って外に飛び出すところで物語は終わります。この校舎を丸ごと使用した美術館は田島征三さんの全生活、画業、すばらしい人間関係が詰まった……というより全部が輻輳《ふくそう》したオーケストラのような感じです。ナイトミュージアムやおおたか静流さんのパフォーマンスイベントを開催したりと、毎年、あるいは季節ごとに企画が立てられ変化しています。現在は「生きものを排除しないアート」として校庭にビオトープをつくったり、絵本に登場するヤギの「しずか」から名づけられた母ヤギしずかと子ヤギが毎年やってきてお客さんにも人気です。

この美術館は、二〇一四年に掲載された日本経済新聞の記事で、全国の廃校を活用している六〇の施設から、専門家たちが選出する「アートを感じる」部門の一位に選ばれたほどで、アーティスト、関係者、住民が一体となって豊かに活動してきた場所です。この学校が私たちに任されることになった二〇〇九年、私は日本人アーティストで理想の学校をつくれる人を探しました。その中で、それまで施設・空間を使った作品を手がけたことはなかった田島征三さんに行きついたのです。田島征三と

▷校舎の二階で出会えるおばけのトペラトト。

◁《鉢&田島征三 絵本と木の実の美術館》田島征三［09］

いう人間の、全体的な生きる力が空間に力を与えていけると思ったのです。以降田島さんは頑張ってくれました。ガンや胃の切除で活動が厳しいと言われていましたが、それらを吹き飛ばすような作業ぶりでした。田島さんの参加が決まってから、天野季子が学芸担当に決まり、地域に入って永い間関わってくれたこともありがたいことでした。

信濃川の河川敷では、二〇〇一年に行われたジャクリーヌ・マティスの《スカイワーク》、二〇〇二年の中川幸夫の《天空散華・妻有に乱舞するチューリップ―花狂―》（186頁参照）の他に、二〇〇三年のミエレル・レーダーマン・ユケレスの《スノーワーカーズ・バレエ》が忘れられないパフォーマンス作品でした。一三台の除雪車が縦列横列にずらりと並び、河川敷を気ままに、見事に動き回るのです。それもそのはず、越後妻有の除雪労働者の技術は並大抵のものではありません。例えば雪の少ない新潟市の市街地では除雪車は雪を五センチ残します。長岡では四センチ。しかし十日町、津南の豪雪地ではアスファルトを削らないギリギリ一センチまで除雪するのです。彼らは一二月から三月まで待機寮という施設に泊まり、雪が降ると夜半から起きて昼過ぎまで働き詰めです。少しでも雪を減らし、市民の

日常がスムーズに動くようにします。集落の奥にいる人は、場合によっては小さな除雪車を預かっていてそれを運転して街なかまで道をつけて出勤することもあります。そんな豪雪の日の会議は昼近くになることもありました。《スノーワーカーズ・バレエ》は、このなんとも表現しがたい除雪労働者の縁の下の過酷さと技術に焦点をあてた作品です。この除雪車のパフォーマンスを見ていた人々のあいだから「もしかしてこれは、ロミオとジュリエットではないかしらん？」との声があがり、会場で口伝えに広がっていきました。終盤、二台の除雪車のシャベルが空中で器用に動いて接吻らしき動作をし、歓声があがりました。最後は除雪車たちがおごそかな葬列を演じて閉幕します。上演時間およそ四〇分。演技が終わり、運転手が車から降りて一礼します。この時の拍手を私は忘れることができません。半年近くつづく雪の季節に、この地を支えてくれた人たちへの温かい感謝と賞讃です。人が踊るわけではない、除雪車によるバレエでした。この作品の話を聞いた人々からの強い要望があり、二〇一二年に三日間再演されました。その時、除雪車は全部新しく塗装し直され、晴れの正装だったことを付記しておきます。

▷ミエレル・レーダーマン・ユケレス《スノーワーカーズ・バレエ》[03]（再演[12]）

3 越後妻有里山現代美術館 MonET

越後妻有里山現代美術館 MonET

T025 原広司＋アトリエ・ファイ建築研究所 p.083

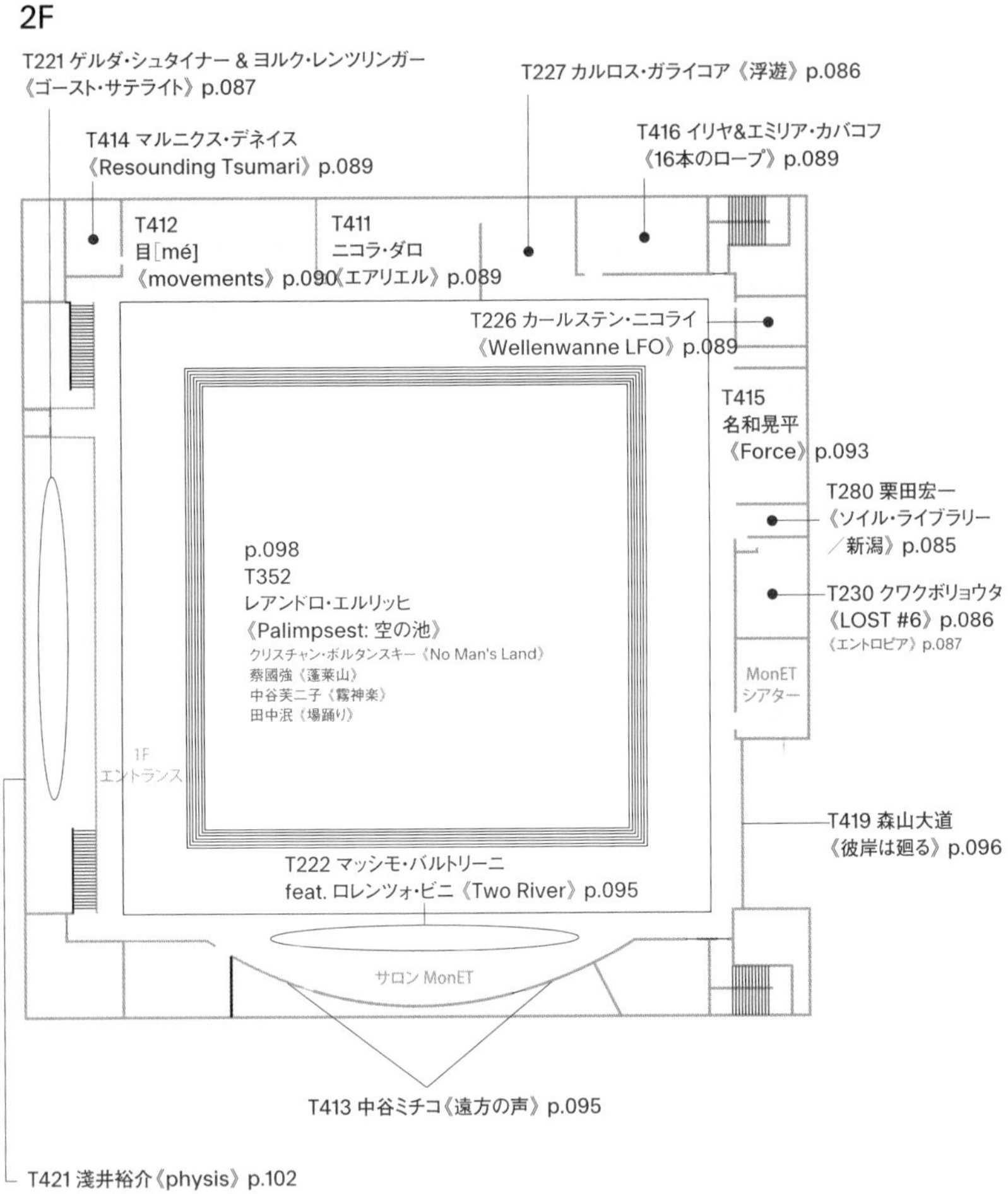

N000 作品番号
作家名《作品名》

- 常設作品
  ※公開状況は作品により異なる
- 公開終了作品
  （2023年11月時点）

二〇〇三年、原広司＋アトリエ・ファイ建築研究所によって市街地に建てられた「越後妻有交流館・キナーレ」は、十日町エリアの拠点施設として二回の改修を経て、建物の二階を中心に現代美術の展示スペースを構えています。二〇二一年の改修後には、館名を新たに《越後妻有里山現代美術館 MonET》としてオープン。Museum on Echigo-Tsumari の頭文字をとり、通称MonET《モネ》と呼ばれています。

［越後妻有里山現代美術館 MonETができるまで］

一九九六年	越後妻有アートネックレス整備構想
二〇〇三年	第二回展 十日町エリアのステージ事業として生まれた、「楽市楽座」をテーマとした市街地の拠点施設「越後妻有交流館・キナーレ」が誕生
二〇一二年	第五回展 改修を経て、施設館内に「越後妻有里山現代美術館［キナーレ］」が誕生
二〇二一年	再び改修を経て、「越後妻有里山現代美術館［MonET］」が誕生
二〇二二年	第八回展

原広司＋アトリエ・ファイ建築研究所《越後妻有里山現代美術館MonET》[03]

リニューアル前からの作品

私たちは土の上に生きている

栗田宏一はお勤めをしているある日、「自分が立っているこの土地は何だろう?」と思ったといいます。それから勤めを辞め、日雇いのような仕事をして、時間とお金をつくり、奥さんと二人で軽トラを動かして、日本中の土を集めていきました。ほぼ日本中を旅して、その土を採取する活動を展示していくなかで評価された頃、フランスから声が掛かり、今やフランス全土で土の収集を行い、その成果は《SOIL LIBRARY PROJECT》として続いています。

モネでの栗田さんの展示は新潟県内の五七六か所（平成の大合併以前の一一二の市町村）の表土です。土壌の生育には一センチに一〇〇年かかる。だから野尻湖のマンモスの骨は三メートル掘ったところから出てきます。私の母校・新潟県立高田高等学校の地学の先生は、民科*の着実な成果としてあった地団研の活動として野尻湖のマンモス発掘作業に毎年生徒を連れていってくれました。大地の芸術祭の第五回展と第六回展で、旧東下組小学校《Soil Museum もぐらの館》で展開した土地の断面の展示を見て、その地層がつくりだす年表の面白さがわかりました。これをモノリスといって《土壌モノリス——日本の土・一万年のプロフィール》[12]では、およそ一万年の時間を刻んだ一メートルごとの、

民科
民主主義科学者協会の略称。一九四六年に創立された、日本の進歩的な自然科学者・社会科学者・人文学者の左派系協会。

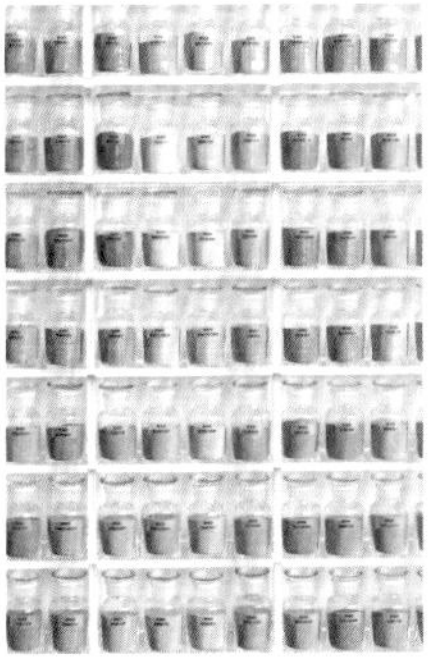

[12]
▷栗田宏一《ソイル・ライブラリー／新潟》

十日町市および世界の土壌モノリスが展示されました。これに対して栗田宏一はその足許の表土の美しさによって、土の存在を見せてくれたのです。

カルロス・ガライコアが初めて大地の芸術祭に参加したのは二〇〇六年のことで、十日町の北東部山新田《やましんでん》集落の神社横の雑草地に卒塔婆のような矩形の立体が重ねられた作品《喪失 2006》［06］をつくってくれました。それは行灯のように光る木組の作品で、お墓のような感じでしたが、恐いというより、何か集落の温かい想いが重層しているようで感じが良かったです。

二〇一二年、《越後妻有里山現代美術館［キナーレ］》オープンに向けて作品を依頼したところ、ガライコアは人が何人か入れるほどの透明な大きなボックスをつくり、天井から雪が降ってくるような作品ができあがりました。降ってきた雪は格子状の床の穴に吸い込まれ、それが循環してまた天から舞い落ちてくるという仕組みです。そしてこの雪は？ と手にとってよく見ると、この地域の典型的な家のかたちのいくつかと都会のビルのかたちに切り抜かれた紙であることがわかります。彼はキューバの首都ハバナで、都市の中の情報と空間のアンバランスを相手取った作品をつくっていますが、今回の作品《浮遊》［12］は彼の従来の作風とは少し異なる、越後妻有へのサービス作品なのでしょう。

暗室に灯りをつけた小さな電車が軌道上を走ると、木立やトンネルのようなシルエットが壁に大きく小さく移り変化する《LOST #6》［12］。それは懐かしい山や田んぼの風景のよう。クワクボリョウタは、かつて織物産地だった十日町の、使われなくなった織機やその部品（小枠、杼）、農具（ザル、籠）

▷《土壌モノリス——日本の土・一万年のプロフィール》［12］

などを使って不思議な風景をつくりました。生活や歴史、風景が包まれているサイトスペシフィックな作品の誕生です。

二〇二二年四月、この作品が修学旅行の中学生数人に壊されてしまいました。故意か不注意かという議論や、誰が責任を取るのか、教育委員会か学校か個人かなど、さまざまな議論がありました。大人たちの対応はともかく、クワクボさんは、「間違いはある、そして壊れたものにも美しさはある」と言って、《LOST #6》[12]を再制作するまでの一か月間、壊れたものを想起させる鏡の断片を使って、新しい作品《エントロピア》[22]をつくり、展示しました。今はもう見られないこの作品の写真を記録しておきましょう。

スイス生まれのゲルダ・シュタイナー&ヨルク・レンツリンガーは越後妻有の屋根裏に眠っていた道具や倉庫に積まれていた廃材など、今はもう使われない、しかし捨て切ることはできない、色々な物をつなぎ合わせました。《ゴースト・サテライト》[12]は不思議な、あるようでないような、宇宙を漂う衛星のような作品になりました。

ここにつなぎ合わされた大小三三台の、本来であれば不要なものとして捨てられ埋められ燃やされてしまうものたちが、ある日この美術館入口で展示されるにいたったひとつひとつの由来を考えてみると面白い。誰がどんな必要があって何処で手に入れたのだろうか?　誰に頼んで、誰に渡したもの

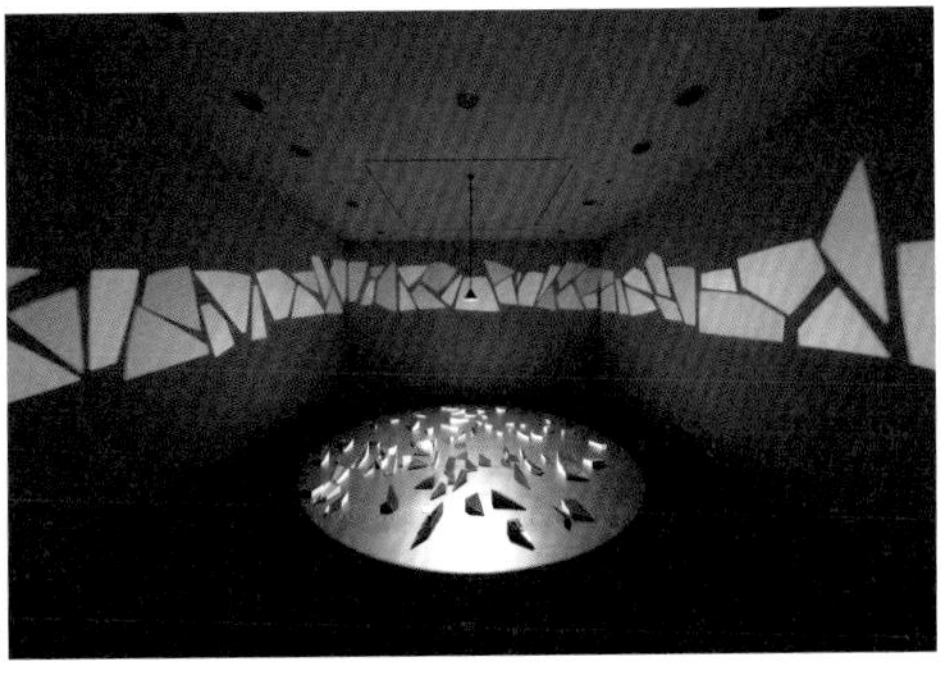
▷クワクボリョウタ《エントロピア》[22]

①

②

③

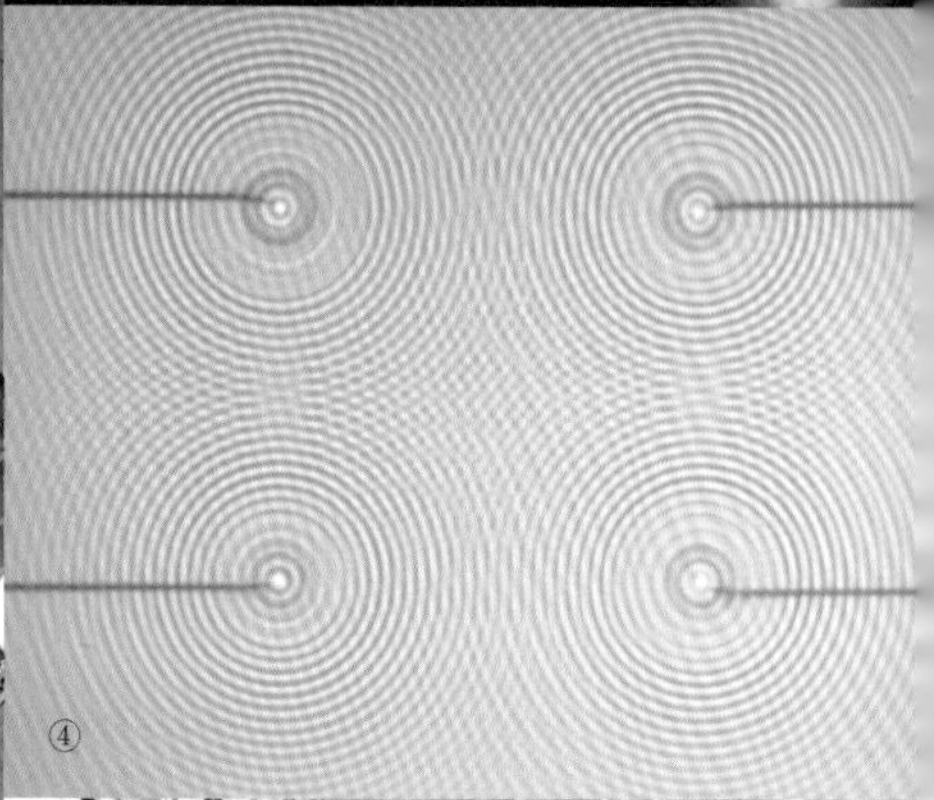
④

⑤

⑥

⑦

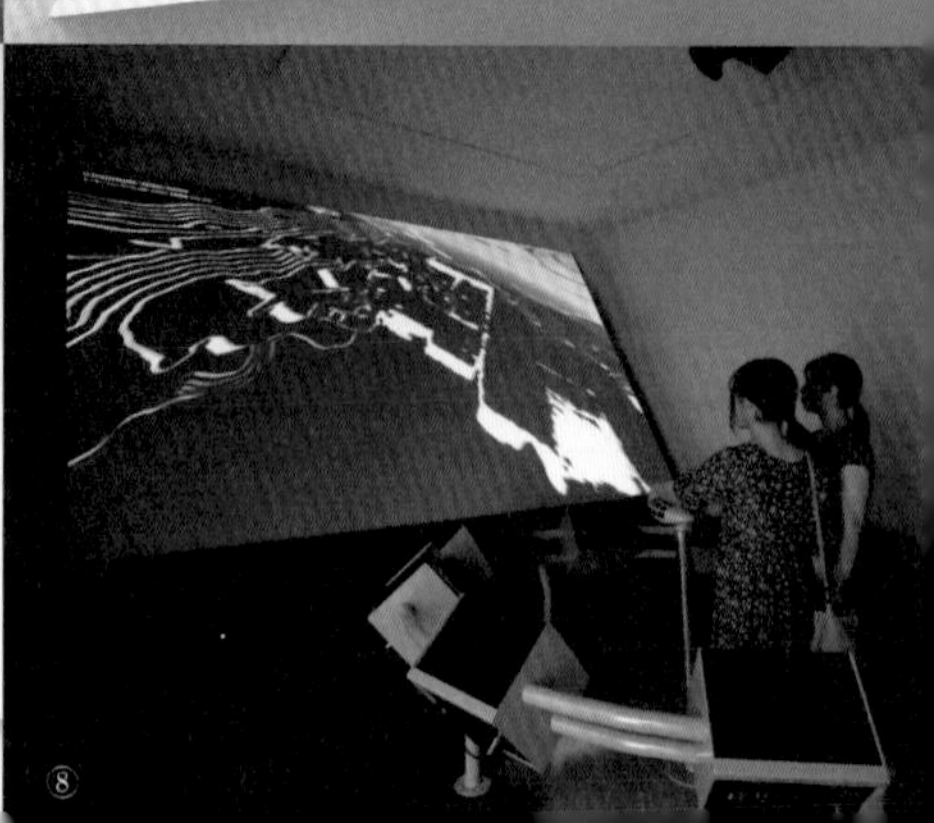
⑧

だろうか？　それは何に使われ、いつ使われなくなってしまったのか？　話は無数に、無限に広がっていきます。それは想像もできない宇宙の無限、決して知ることができない宇宙の誕生の秘密のなかで、たまたまか、故あって生まれてきたのかもわからない。一瞬の、しかし考える本人にとってはかけがえのないすべての経験に漂っています。この作品は美術館のすべての前提のように感じられてもくるのです。

カールステン・ニコライは私にとって不思議な作家です。第二回展では旧川西町《かわにし》の中子《なかご》から仙田《せんだ》へと抜ける越《こし》ヶ《が》沢《さわ》トンネルの手前、道路脇左手にある元旅館（松葉荘）の小さな部屋と、近くの丘にある、これまた小さな小屋を使って気温と湿度を繊細に測る気象計をセットするというプロジェクト《日照計測のための家》［03］に黙々と取り組んでいました。私とは食べる、飲む、しゃべるという人間的なつきあいがまったくありませんでした。彼はそのデータをずっと観察していたのでしょう。いちはらアート×ミックス*の時には、市原湖畔美術館で芸術祭と連動した展覧会《Parallax パララックス》［17］を手がけ、綿密なデータを元に人間の感覚に訴えかける作品を展開し、奥能登国際芸術祭*では自動投球機が投げるテニスボールが反射板に当たって鳴る、その音を楽しむ部屋《Autonomo》［21］を旧粟津保育園に設置しました。彼はその際、絵本を読むための図書館《図書館：カールステン・ニコライが推薦する本》［21］を提案しました。それらの絵本の絵は、飛び出す、引き出す、立ち上が

▷①カルロス・ガライコア《浮遊》［12］②クワクボリョウタ《Lost #6》［12］③ゲルダ・シュタイナー&ヨルク・レンツリンガー《ゴースト・サテライト》［12］④カールステン・ニコライ《Wellenwanne LFO》［12］⑤イリヤ&エミリア・カバコフ《16本のロープ》［21］⑥ニコラ・ダロ《エアリエル》［21］⑦中谷ミチコ《遠方の声》［21］⑧マルニクス・デネイス《Resounding Tsumari》［21］

いちはらアート×ミックス
千葉県市原市を舞台に三年に一度開催されている芸術祭。二〇一四年に第一回展を開催。北川フラムが第一回展、第三回展で総合ディレクターを務める。

奥能登国際芸術祭
石川県珠洲市で三年に一度開催されている芸術祭。二〇一七年に第一回展が開催され、北川フラムが総合ディレクターを務める。

るなど、普通ではあまり見慣れないものが多く、日本語版がないものもありました。彼は本と音楽が好きで、科学が大好きなアーティストでした。モネでは、信濃川を意識してのことでしょうが、音と感応する電磁波の波紋が広がる作品《Wellenwanne LFO》［12］をつくってくれました。これもまた静謐な空間をかたちづくるものでした。私が英語ができないため、いまだに直接話したことがないのに、永く良い関係が続いていると勝手に思っている大切な友人です。

リニューアル後に加わった作品

芸術祭を横断して活躍するアーティスト

〈目［mé］〉は三人組のユニット（アーティスト・荒神明香、ディレクター・南川憲二、インストーラー・増井宏文）で、日常生活で見える風景がそれぞれ不思議な原理で構成されていることを、作家の手を通して伝えてくれます。〈目［mé］〉とは古いつきあいで、最初は第四回展の時、〈目［mé］〉というグループになる前のwah*（ワウ）として公募で参加してくれました。それは、松代商店街の一軒家で子どもたちのアイディアを元に、すべり台をつくったりする楽しい仕事でした（《松代中学表現集団》［09］）。

wah（ワウ）
南川憲二、増井宏文らを中心に、二〇〇六年に京都精華大学の仲間とともに結成。その場に集まった人たちとアイディアを出し合って、面白いと思うものを即興的にかたちにしていくプロジェクトを展開。

▷目［mé］《憶測の成立》［15］

第五回展での、十日町市本町《ほんちょう》の市街地でクリーニング店のドラム型乾燥機から入って、事務所を通り裏庭に出るという空き店舗の中を巡る作品《憶測の成立》［15］は大人気でした。

さらにその次はＪＲ飯山線の魚沼中条駅《うおぬまなかじょう》の横に、まったく同じ岩（実はレプリカを並べた作品）《repetitive objects》［18］。そして最後がこのモネでの《movements》［21］。八千個の時計の針が固有の時を刻んでいる、と同時にそれはひとつの群れとなって、私たちには見えてきます。この作品も発想が奇想天外で、アトリエからいつも見ている数千羽のムクドリが、個々には自由自在に飛んでいるつもりでも、全体としてはある原理で集団的に動いているという観察結果に基づいているというのです。

〈目［mé］〉とは他でもご一緒しています。新潟の水と土の芸術祭*でも出展をお願いしましたし、瀬戸内国際芸術祭では小豆島《しょうどしま》の土庄町《とのしょう》の「迷路のまち*」の中にある元タバコ屋さんで、家の中全体が白いやわらかな感じの漆喰でコーティングされた迷路のような作品《迷路のまち～変幻自在の路地空間～》［16］をつくってくれました。

さらに二〇一七年、北アルプス国際芸術祭*の第一回展では、長野県大町《おおまち》市の盆地を見下ろすことができ、その奥の北アルプスの峯々が輝いて見える鷹狩《たかがり》山の上にある古い建物で《信濃大町実景舎》［17］という作品をつくりました。これは丸ごとコンクリートで囲んだ人間の胎内のような、白い洞窟のような空間でした。この山の空間で寝転んで北アルプスを望む時間はとても気持ちが良かった。これはＮＨＫの日

水と土の芸術祭
新潟市で二〇〇九年から二〇一八年まで三年に一度開催された芸術祭。二〇〇九年の第一回は北川フラムが総合ディレクターを務めた。

迷路のまち
小豆島の土庄本町に現存する、迷路のような入り組んだ路地。海賊から島民の生活を守るため意図的につくられたと言われている。

北アルプス国際芸術祭
長野県大町市を舞台に三年に一度開催されている芸術祭。北川フラムが総合ディレクターを務める。二〇一七年に第一回展を開催。

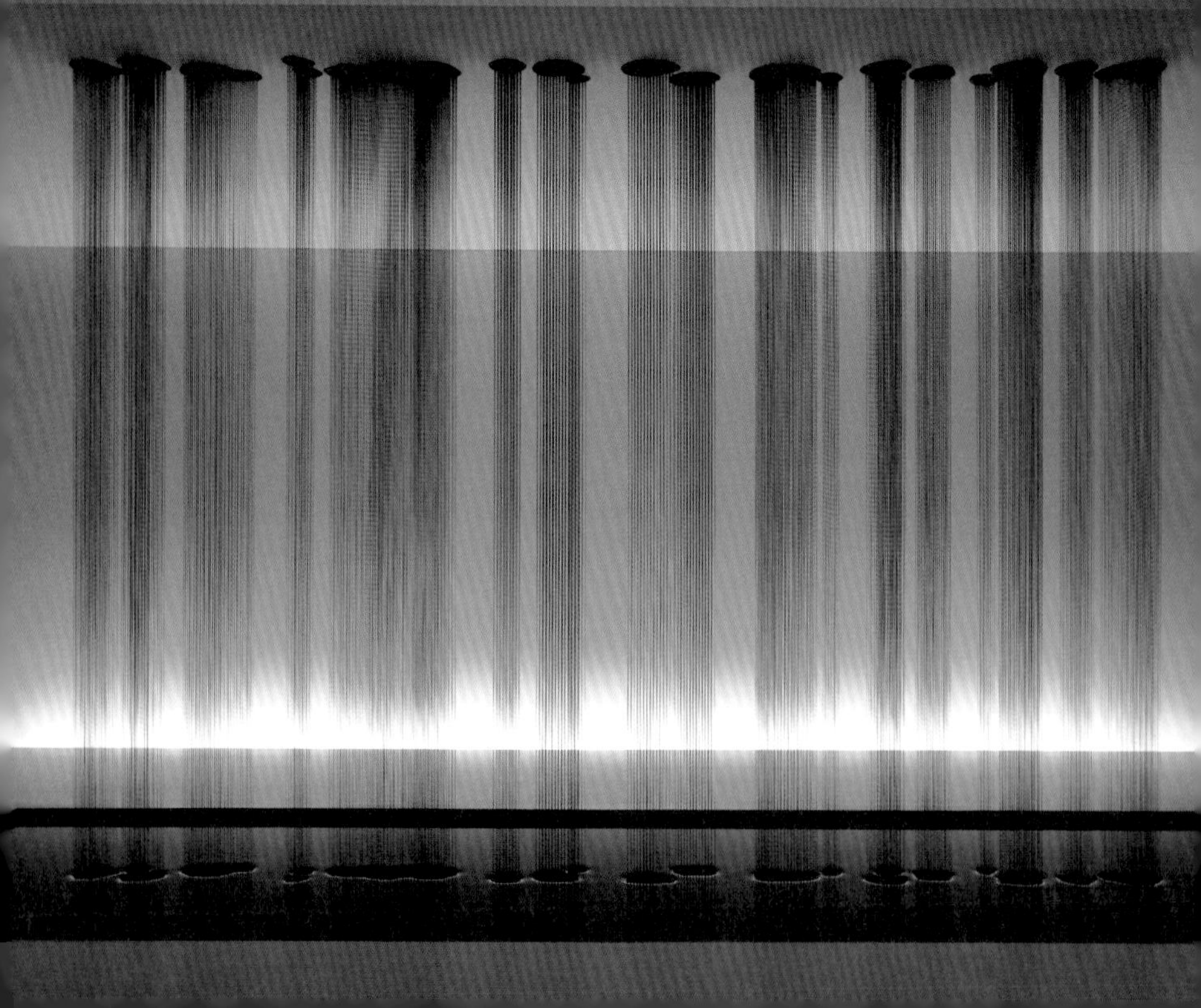

曜美術館でも放映されましたが、アナウンサーの髙橋美鈴さんが作品の紹介をして下さいました。そういえば、日曜美術館は地域芸術祭の面白さにさすがに敏感で、第一回展の織作峰子さん、石澤典夫さん、第三回展の檀ふみさん、野村正育さんなどさまざまな方がナビゲーターとして芸術祭を紹介していますが、その時の野村さんや中條誠子さんは以来ずっと地域芸術祭を見て回って下さっています。

さて、〈目［mé］〉は中国の上海では港横の造船所跡地で画期的な仕事もしていて、今後も彼らの活動から目を離せません。大変でしょうが、グループの良さが続いていくと嬉しいです。

これまで多くのアーティストが物質というものを、石なり土なり水なり鉄なりといった、形態を持ったものとして考えてきました。しかし実際には、水ひとつとっても、そこには氷や水蒸気という様態があり、水素と酸素によって構成され、さらにはOH（ヒドロキシ）ラジカルという水の発生期の酸素状態もあります。名和晃平は、こうしたレベルにおいて改めて物質を考えてみようとするきわめて現代的な作家であり、一度仕事をしてみたいと思っていたアーティストでした。

さらに彼はダミアン・ジャレと組んで身体表現をも取り込んだパフォーマンス《VESSEL》の公演を行ったり（これには森山未來も参加）、田中泯さんと仕事をしたりしていたので私も興味を持っていましたが、《越後妻有里山現代美術館 MonET》に改修する際、オフィシャルサポーター*であるクラウドワークスの吉田浩一郎さんが「自分が手伝うから」と背を押してくれて参加依頼をすることが

▷上＝目［mé］《movements》［21］下＝名和晃平《Force》［21］

▷目［mé］《信濃大町実景舎》［21］（北アルプス国際芸術祭）

できました。実は名和さんが大学院卒業後すぐにＩＮＡＸギャラリーで作品を発表した時から彼に興味を持っていたのですが、ようやく一緒に仕事をすることができました。

　そうしてできた作品《Force》［21］は一三八六リットルのシリコーンオイルを高さ三メートルから、プールに落とし循環させるというものです。写真で見ると細いワイヤーが吊り下げられているように見えるくらいですが、液体なので流路はその瞬間、瞬間で変化しつづけていて、落ちた場所の凹みも常に変化していて美しい、不思議な作品です。彼へのインタビューで「僕は大学生の一九九四年から六年間ほど、ずっと白州《はくしゅう》に通っていた」と話されたのを聞いて、はたと納得するものがありました。白州は農業を通して自然と人間が交換、交歓する「アートキャンプ白州*」の拠点地です。そこには田中泯という強烈な思想的肉体を持つアーティスト、榎倉康二、高山登、剣持和夫という物質に関わってすばらしい仕事をするアーティストがいて、さまざまな考えの人たちが加わっていたのでした。そこでの約六年間が名和さんにとって貴重だったことは想像できます。この時私は「試展―白州模写〈アートキャンプ白州〉とは何だったのか*」を、市原湖畔美術館で行い、名和晃平にキュレーターをやってもらって展示しようと考えついたのでした。

オフィシャルサポーター
最初は芸術祭の一観客であったＩＴ企業のトップ、起業家、ジャーナリスト、建築家、インフルエンサーたちが、二〇一四年よりオフィシャルサポーターとして、広報・誘客・ファンドレイジングに関わり始め、寄附・協賛など、さまざまな応援の仕組みを考案している。

アートキャンプ白州
一九八八年、山梨県白州町を舞台に田中泯の呼びかけのもとで始まったアートキャンプ。以来、舞踊・芝居・音・美術・物語・建築・映像・農業などジャンルを超えた表現活動が、二〇年以上にわたって毎夏開催された。

試展―白州模写「アートキャンプ白州」とは何だったのか
二〇二二年から二〇二三年にかけて、市原湖畔美術館で開催された企画展。ゲストキュレーターに名和晃平を迎えて、今も伝説のように語られる〈白州〉の膨大な資料、写真、映像のアーカイブなどを展示した。

私たちの眼はどうなっているのだろう？

モネ二階にあるエフエムとおかまちからミュージアムショップにかけて設置されているのが中谷ミチコの《遠方の声》[21]。壁側に確かに彫られている犬のお母さんを横目に見つつ移動すると、その犬の表情がこちらの視線に合わせるように変化していくことに気づきます。通常、彫刻を制作する場合、土や石を削って原型をつくります。もしこれと同一のものをつくろうとするなら石膏や樹脂で型を取り、そこにまたブロンズや科学物質を流し込んで原型と同じものをつくるのですが、中谷さんの場合、その鋳型の裏というか接触面を見せるのです。そこに技術がある。このモネにある十二面のレリーフは、見る側に時間の経過を感じさせます。その物語はひとつひとつ、越後妻有で彼女が取材した婆さま爺さまの季節とともに変化する集落や家族、動物や植物の物語なのです。

同じスペースにもうひとつ作品があります。マッシモ・バルトリーニ feat. ロレンツォ・ビニは、モネを手がけた建築家・原広司が設計した正四角形の建物の二階回廊空間全体を作品化しました。内接する円で型どり、信濃川の水面のさざ波が揺らぐ様子を表現した《Two River》[12]は、美術館というホワイト・キューブに越後妻有の一人ひとりが過ごしたやわらかな時間が重なる空間になっています。

大地の芸術祭が海のものとも山のものとも分かち難い時に、芸術祭を理解して下さり、一肌脱いで

▷マッシモ・バルトリーニ feat. ロレンツォ・ビニ《Two River》[12]

支えてくれた人たちがおられます。柳澤伯夫代議士と原田明夫検事総長は後立てになって下さったし、宇宙物理学者の池内了氏は土地の人とつくる科学の指針を示しつづけて下さっています。また女優の真野響子さんも司会等を通して全面的に芸術祭を支えて下さりました。茂木愛一郎さんは経済学者の宇沢弘文先生を紹介して下さり、今もＮＰＯ法人越後妻有里山協働機構*に関わってくれています。皆さんの応援がなくては出立できませんでした。ただ感謝するばかりです。

建築家の原広司さんは愛犬クウを連れて一緒に越後妻有をまわってくれて、「場の力」を体験してくれましたし、美術評論家の中原佑介さんは会期ごとに作品をほとんど見て、この地域型芸術祭が持つ意味を考え、反省させてくれ、展望を示して下さいました。また、第一・二回展のメインビジュアルのコンセプトをつくり、この芸術祭が目指すレベルを具体的にかたちにしてくれたのが、グラフィックデザイナーの中塚大輔さんでした。中塚さんは強烈なデザイナーで、第二回までの芸術祭全体を引っ張って下さった恩人です。中塚さんのディレクションで、後述する生花作家の中川幸夫さんの作品を森山大道さんに撮ってもらいました。中川幸夫さんはガラスの容器にバラの花を密封したものを美術評論家の瀧口修造さんにお見せしました。そこにはバラの生命とも言うべき、その赤い花汁が沈み輝いていたのです。それまでに生花については語らないと決めていた瀧口さんを動かした花と人間との昇華があったという有名な話を享けてのことだったのでしょう。それはすごい写真でした。

第二回展のオープニングイベントでは、オランダのクリスティアン・バスティアンスが脚本を手がけ、地元のお年寄りが出演する公演《越後妻有版「真実のリア王」》の舞台写真を撮りに、森山さん

▷第二回展のポスター
チューリップの花に手を突っ込んでいる場面を森山大道が写真撮影し、中塚大輔がポスターのデザインを仕上げた。

＊ＮＰＯ法人越後妻有里山協働機構
越後妻有を魅力ある地域にしていくために二〇〇八年に設立され、大地の芸術祭で生まれた作品の管理やプロジェクトを通年事業として運営する。地元出身者や県内外からの移住スタッフで構成され、三年に一度のトリエンナーレ会期以外も、合間二年間の作品メンテナンス、企画展・イベント・ワークショップの開催、農業、ツアー、広報、ＦＣ越後妻有の活動などさまざまな業務を遂行している。

は再度越後妻有に来ました。その後出版された『彼岸は廻る 越後妻有版「真実のリア王」写真記録集』（現代企画室）の写真には亡霊が映っているような気がします。その撮影の折、道脇に咲きこぼれる花々の息苦しいほどのエネルギーを撮ってくれ、それがモネに展示されているのです。

信州から越後に入ってきて、「何か違うなあ」と思うことがあります。それは道脇に咲く花々です。信濃川の河岸段丘の影響でつくられる道と家屋のあいだの段差を利用して、地元の人々が花を植えているのです。仏様への供花のためでもあるのでしょうが、多くはこの豪雪地を通る善光寺まいりの旅人へのホスピタリティなのではないかと私は思うのです。過疎の地ほど旅人に対する優しさは強いものです。道脇にそっと植えられた花々を、私たちは「径庭《みちにわ》」と呼んでいますが、森山さんは直感でそれを撮りつづけたのです。

▷森山大道が撮影した径庭

③屋外作品・パフォーマンス

奇縁というものがあるんだとつくづく思います

モネの中庭の四二メートル×四二メートルの正方形のプールは、戦後日本のよくある街なかのカオスに壁をつくることによって、逆に砂漠にあるオアシスのような清涼な舞台として考えられたものです。ここでは、第五回展以来、クリスチャン・ボルタンスキー、蔡國強といった力のある作家が芸術祭期間中のインスタレーションを設置してきました。その三度目の展示として選ばれたのがアルゼンチンのレアンドロ・エルリッヒです。レアンドロは第三回展には、十日町市街地で作品《妻有の家》[06]を手がけました。これは、地面に寝そべるように設置された平面の家が、斜めに立てかけた巨大なステンレス鏡面に映り込む仕掛けになっていて、床面の家の上で人が遊んだり、楽しむ様子が鏡面に映し出され、まるで逆立ちしたり、壁に貼りついたりするように見える楽しい演出でした。また、モネと改名する前のキナーレ二階展示室では、トンネルの逆遠近法を使って錯覚を引き起こす《トンネル》[12]をつくったりしてくれた馴染みのある作家です。

このモネ中庭のプールに作品を設置するにあたって、アーティストと建築家は、プールの水に建物が深く映り込み、その奥に青空が見えるという演出方法を選びました。虚実皮膜の空間《Palimpsest:空の池》[18]です。それはまた圧倒的な力を持って建物の存在を際立たせながら、楽しい夏の水遊び・冬の雪遊びの場を用意してくれました。今後この場で展開される作品は、この建築と一体となったレアンドロの作品空間の中でやるという制約が課せられます。

二〇二二年、第八回展の一四五日間の会期のうち、七月三〇日から九月四日の夏会期に、モネの中庭プールに中谷芙二子の霧の彫刻《霧神楽》が設置され、この作品の中で田中泯の《場踊り》が踊られました。レアンドロの立体透視図内で展開する作品を、中谷さんにお願いしようと考えた時に、昭和記念公園(一九九二)、水戸芸術館(二〇一八)で中谷さんが手がけた作品の記憶が蘇って、うまく

▷レアンドロ・エルリッヒ《妻有の家》[06]

◁上=クリスチャン・ボルタンスキー《No Man's Land》[12] 下=蔡國強《蓬莱山》[15]

いくのではないかとは思ったのですが、中谷さんはこの頃とてもお忙しく、厳しそうだとの話が聞こえてくる。越後妻有の地域づくりの中心である《越後松之山「森の学校」キョロロ》の運営指針は、宇宙物理学者・池内了さんの「町民みんなが科学者」がコンセプトであり、それは中谷さんのお父上である中谷宇吉郎*さんの北海道での経験が核になっていることでもあるので、是非一度いらして下さいとお誘いをしてみたのです。二〇〇〇年一二月には私たちの拠点である東京の代官山で、中谷宇吉郎生誕百年記念「中谷宇吉郎 一人の科学者」展を開催しました。氏の著作である「雪の話*」を私は愛読したもので、うさぎの毛で雪の結晶をつくる話はよく覚えています。結果、芙二子さんは嬉しそうに案を示して下さりました。霧は三方向から流れてくるのですが、真ん中からは垂直に立ち上るという仕組みです。そして、そこでは田中泯さんに踊ってもらうのだと言います。

田中泯さんは前述の「アートキャンプ白州」の創設者です。一九八五年から山梨県の白州に住みついて、仲間たちと農業をやり、そこには優れたダンサーの他にアーティスト、ミュージシャンも加わり、「アートキャンプ白州」はスタイルを変化させながら、一九八八年「白州・夏・フェスティバル」から二〇〇九年「ダンス白州」まで続きました。日本の高度経済成長の絶頂期からバブル経済の崩壊期にあたっています。その活動のことを

私は当時あまり知らず、一回伺っただけであり、泯さんの踊りを拝見したのは一九九〇年代の東京です。今思えばその無知にあきれるばかりですが、私は文化・芸術界のことは今もよく知らないし、現代美術にいたっては作家の名もほとんど存じ上げない。でありながら、一九九二年頃から私は少しずつ現代の美術にリアルな関心を持ち始め、大地の芸術祭を始めてからは白州の活動と、田中泯さんの文字通り身体を含めた感受力、その慧眼に敬意を持つようになりました。

モネでの公演本番、霧に向かい、霧を従えながら、霧の壁をつたいながら動くその姿を私はうまく言葉にできません。私たちは魅入られるだけです。公演は予定より一回多く、五回行われましたが、中谷さんも予定を変えて対応してくれました。全公演にわたって、オペレーターの呼吸が伝わってくるほどに、泯さんの動きに中谷さんの《霧神楽》がぴったりと合っていました。

私は踊り・ダンスやジャズやアンサンブル、そして芝居も好きです。それらは芸術祭を息づかせます。というよりも空や地や気流に孔を開けるという人間の行為のように感ずるからで、可能な限りそういったパフォーミングアーツを芸術祭でセットしたいと思っています。そこには束の間の、人間が自然に震える瞬間があるように感ずるのです。

▷中谷芙二子《霧神楽》[22]、田中泯《場踊り》[22]

中谷宇吉郎
(一九〇〇―一九六二) 物理学者、随筆家。北海道大学理学部教授を務め、世界で初となる人工雪の製作に成功した。科学を一般の人々に分りやすく伝えるため、多数の随筆を残した。代表的な著書に『冬の華』『立春の卵』など。

「雪の話」
一九五〇年に刊行された『美しい暮しの手帖』に寄せられたエッセイ。その後、さまざまな随筆集や選集に収録されている。

この地で描くということ

淺井裕介は常に手を動かし、描いている人です。打ち合わせをしている時もコースターやナプキンに絵を描いていて、時にはもらったりすることもあります。モネから街なかに出る路地や空き地にもその有機的な白線による絵《チョマノモリ》[15]が描かれています。これまでにもかなりの場所で描いてもらっていますが、もっと広い場所で描きたいといつも思っているのがわかります。

モネ西側の外壁に、建築家や十日町市長の同意を得て制作したのが、壁画《physis》[22]です。できるところでは、その土地で採れる土や泥を使うこともあるし、地域の人もたくさん参加します。作業時の彼の動きはすばらしく、私はそこを多くの人に見てもらいたいと思っています。ものや土地を覆うことによって、逆にそのものや風景を発見する作家には、現代を代表するクリスト&ジャンヌ=クロードがいますが、クリストはそのプロジェクトの実制作に入るまでの、計画図とも思える絵をたくさん描きます。普通は風景を描きますが、彼の場合は計

画を描くことによって風景をつくるということが、そのドキュメントを見ていてわかりました。何しろ手の動きが早いのです。それが氏のドローイングの骨法用筆で、絵が生きているのです。淺井さんの仕事ぶりにもそういうところがある。制作のスタイルに彼の作品の魅力が含まれているのです。

▽淺井裕介《physis》［22］

4 川西

川西

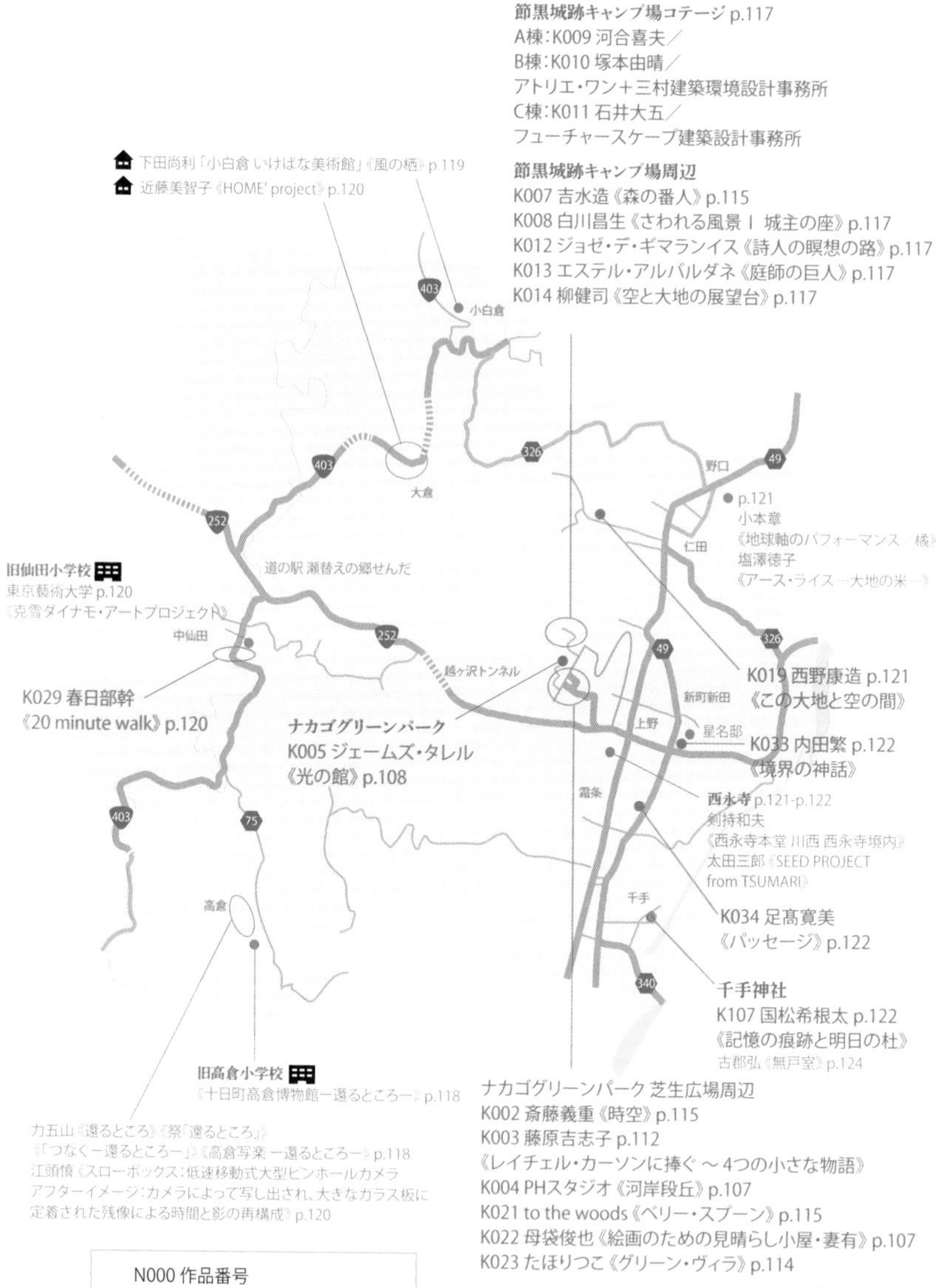

N000 作品番号
作家名《作品名》

- 常設作品
  ※公開状況は作品により異なる
- 公開終了作品
  (2023年11月時点)

廃校作品プロジェクト
空き家プロジェクト

田園都市を思い浮かべて

平成の大合併に向けた「ニューにいがた里創プラン」の四本柱のうちのひとつ、越後妻有六市町村それぞれが特色を持つステージを受け持とうとしてきた時に、旧川西町が提案してきた場所が、もともとパターゴルフ場のあったナカゴグリーンパークでした。それ以外は他に何もない丘陵地で、私はそこにエコロジカルな農業を行う、イタリア人の建築家パオロ・ソレリがアリゾナの砂漠でやっているいわば太陽の町「アーコサンティ」（164頁参照）のような、あるいは初期資本主義が夢見た、学校、住宅、農場、手工業が共存する田園都市計画を夢見ました。そこではジェームズ・タレルの《光の館》[00]、藤原吉志子の彫刻の小公園《レイチェル・カーソンに捧ぐ～4つの小さな物語》[00]、公募で出てきたPHスタジオによる《河岸段丘》[00]、たほりつこの《グリーン・ヴィラ》[03]、母袋俊也の《絵画のための見晴らし小屋・妻有》[03]、斎藤義重の遺作となった《時空》[00]などが制作されました。

▷右＝PHスタジオによる《河岸段丘》[00] 左＝母袋俊也《絵画のための見晴らし小屋・妻有》[03]

ナカゴグリーンパーク

越後三山を見渡せる光の宿泊所

《光の館》

ジェームズ・タレルはアメリカ・アリゾナの死火山の頂上のすり鉢状になっている火口の下に自然の光、太陽の動きを体感できる壮大な装置《ローデン・クレーター》をつくっている作家です。そこには山の裏の影などがあり、光が人間の記憶に及ぼす基本的な作用について体験できるように考えられています。

彼は幼い頃から飛行機好きの父親の飛行機に乗り、大空と太陽の光に魅せられてきたと言います。アーティストとして絵画の道に進みますが、結局、色とは光なのだと知り、光を扱うアーティストとして著名な人となりました。

ジェームズ・タレルには一九九四年にオープンした旧米軍基地跡をアートの街に変えたと言われる「ファーレ立川」の仕事を、「光の電話ボックス」で依頼しようとしたのですが、街なかに密室をつくることが不可能だったため諦めざるを得ませんでした。越後妻有では、ニューヨークのMoMA PS1*にある、光体験の装置である空と光の関係のプロジェクトを、宿泊施設として体験するものにできないか、と相談したのです。芸術祭の作品の場所を探すため、越後妻有に初めて来た時のエピソードが面白い。彼は若い時、奄美、安来《やすぎ》に滞在したこともあり、日本通です。「郷に入っては郷に従え」とばかりに、日本有数の酒飲みである越後妻有の住民に勧められるままに、（地元民の言うところによる

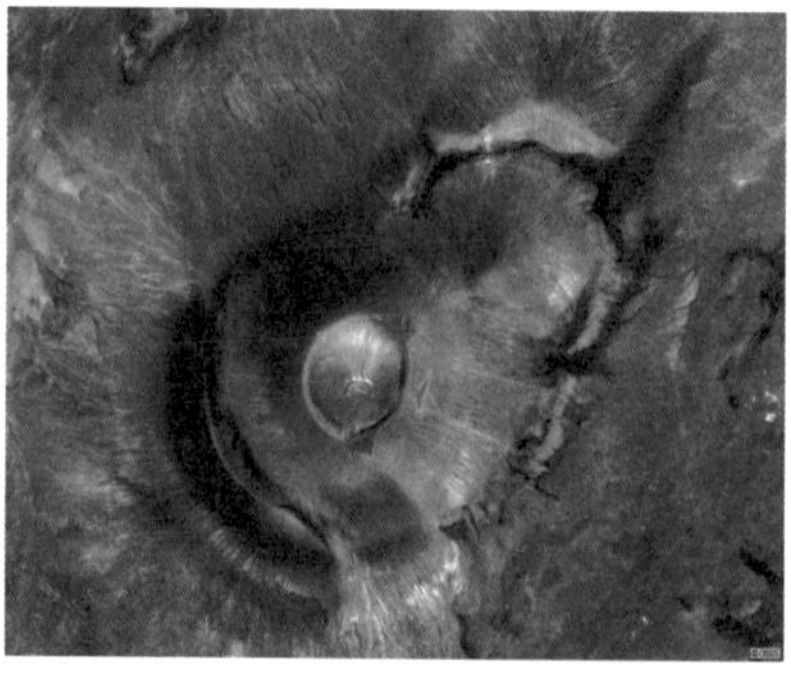

▷ジェームズ・タレル《ローデン・クレーター》

MoMA PS1
ニューヨークにある、現代美術専門の展示施設。オルタナティヴ・スペースの先駆的存在としても知られている。美術作品のコレクションは行わず、実験的な現代美術の企画を年間五〇本以上開催している。

ジェームズ・タレル《光の館》[00]

と）二升近く飲んだそうです。その田舎の山の中で作品をつくる覚悟ができていたのでしょう。翌日はさすがにフラフラで、吹雪の中、彼が歩いて登れる限界だった位置が、現在の《光の館》〔00〕の場所になったわけです。

彼の構想は旧川西町のナカゴグリーンパークに登る山裾に、重要文化財である星名邸を参照した、二階建ての家屋をつくることでした。一階は風呂とトイレと部屋、二階は居間と一部屋と台所という造りです。各部屋と風呂は不思議な空間です。特徴があるのは二階の大部屋で、大屋根が動くようになっていて、日の入りと日の出の時間にライトプログラムが行われています。屋根を支える部分に灯りがつき、それが外光に応じて私たちには変化して感じられるのですね。色が持つ補色効果を上手に使っており、光というものは人間の脳内作用による身体の体験だとタレル氏は考えているのがわかります。

さらに彼は、作品づくりのための参考書はないか、と言うので、私は谷崎潤一郎の『陰翳礼讃』*を勧めました。彼は《光の館》の建築担当者で当時はアトリエ・ファイの所員であった建築家石井大五に、まさに『忘れられた日本人』*をここに入れ込もうと色々と注文を出しました。曰く、

焚火で料理をつくる。
五右衛門風呂がよい。
ボットン便所をつくろう。等々

▷ジェームズ・タレル《光の館》〔00〕

『陰影礼賛』
谷崎潤一郎の随筆。まだ電灯がなかった時代の日本の美の感覚、生活と自然とが一体化し、真に風雅を知っていた日本人の芸術的な感性について論じた、谷崎の代表的評論作品。

星名邸をモジュールとしながら、近代的な宿泊所をつくるためのやり取りは大変だったけれども、今となっては楽しい話です。家族旅行であったり、ゼミ合宿であったりと宿泊の人気は高いし、日中は作品鑑賞もでき、年間を通して越後妻有の人気施設です。管理をやってくれた南雲志奈子さん以来のスタッフも頑張ってくれたおかげです。

出展の依頼をしてから、私はMoMA PS1にある作品や準備中の《ローデン・クレーター》に行きました。彼と一緒にその火口の傾斜面に寝転がって青空を見ながら眠ってしまった日のことを思い出します。ほとんど彼の土地でもある広大な自然のままの砂漠地を、「あれが土着民族の牛の群れ」「これがヒッピーの集落」と教えてくれながら車で巡るのです。火山ひとつをまるごと、巨大なピラミッドを超えるスケールで、光の射す回路を夢見るアーティストに私は魅入られました。私はそこからサンフランシスコまでひとりで車で帰ってきたものです。

『**忘れられた日本人**』
一九六〇年に未來社より出版された宮本常一の著書。日本各地の共同体を訪ね歩き、人々が文字を持つ以前からの暮らしや民間伝承を調査した、宮本民俗学の代表作。

ナカゴグリーンパーク：芝生広場周辺

地球環境時代に呼応する芸術祭

《レイチェル・カーソンに捧ぐ～４つの小さな物語》

藤原吉志子は厳しくもユーモアのある作家です。鋳造作家で東京ウィメンズプラザの《本日の定食95年》や仙台市博物館前の《逓―昨日・今日・明日》などの秀作を残している他、病院の手すりに凹凸をつけたり、退屈な入院生活のための窓にクモの巣の作品をかけたり、患者さんの意識に働きかける仕事をするヒューマンな人でした。越後妻有のために提案された作品は、『沈黙の春』*で新時代が始まった頃の人間の自然への関わりに警鐘を鳴らしたレイチェル・カーソンにオマージュを捧げたもので、大地の芸術祭を始めるにあたっては、地球環境時代に思いをはせてほしいという藤原さんの熱いメッセージが込められています。また、レイチェル・カーソンの遺作『センス・オブ・ワンダー』*では、神秘なもの、不思議なことに目を見開く感性のすばらしさを述べていますが、これは私たちの出発点のひとつです。

また、芸術祭の始まりについて、彼女が果たした大切な役割について述

べておきます。大地の芸術祭は、今思えば、ということですが、何もわからないところから始まりました。アートの展示場所が、ただ均質の空間（ホワイトキューブ）だけになるとしたら、美術は現代（社会）に関わることはできないでしょう。都市の猥雑な環境、およそ現代美術の展示空間ではありえない過疎の山村にこそ現代の場があるのではないか、という出発でした。優れたアーティストは都市という猥雑な場に進出してはいましたが、過疎の山村には出て行っていない。過疎の山村は、都市化する現代の後追いということではなく、その現象が前線なのではないかと考えていたのです。いずれにせよ、ほとんどの住民がお年寄りである山村で芸術祭をやるとなると人手がいる。それを理解していただくしかないと、肩に力を入れて私は説明しつづけました。越後妻有での会議・集落説明会は結果的には二千回を超えましたが、それほどうまくいってはいない。その欠点を私に指摘していたのは、藤原さんとパートナーの藤原亙さんでした。「あなたが正義感を持っても駄目なのだよ。」

　私は一〇代末からさまざまな異議申し立ての活動に参加してきました。全共闘世代で、大学時代は学生運動が盛んであり、国際連帯を望んでいました。それらの長い困難な活動のなかでわかってきたことは、反対者と同じ土俵に立たなくてはいけないということでした。それには行政と仕事をすることが重要だと思いました。正義の戦いには賛同者がいますが、ある意味でそれは宗教的ですらあります。生まれ育ちが違えば、考え方も違う。そのすれ違いは永遠です。住民はいわば納税者でもあり、行政の仕事には文句を言ってくれます。その土俵の上で協働していかなくていけないのではないか？

▷藤原吉志子《レイチェル・カーソンに捧ぐ～4つの小さな物語》[00]

『沈黙の春』
一九六二年に出版された、レイチェル・カーソンの代表作のひとつ。当時あまり知られていなかった、殺虫剤や農薬などの化学物質が環境や生物にもたらす危険を訴えた作品。

『センス・オブ・ワンダー』
（一九九六年、新潮社）レイチェル・カーソンの遺作。子どもが生まれながらに持つ「神秘さや不思議さに目を見はる感性」を大切にしてほしいというメッセージが込められた作品。

そうは言っても私は正義を述べるだけです。「それらの人々と私のあいだにあって、独自の在り方、異なった考え方をする若い人、学生の存在が必要だ」と藤原夫妻は言うのです。
それから私は人のほとんどいない（正確にはいなくなる）大学の教室等で、延々と芸術祭の説明をして学生のサポーターを募り始めました。彼らが越後妻有に行って地元の人々に懸命に芸術祭の話をしても理解されず、あるいは門前払いされて帰ってくるという現実のなかから作業を始めたのでした。

たほりつこはナカゴグリーンパークのなだらかな斜面に「火」「水」「農」「藝」「天神」等の象形文字を土に盛って《グリーン・ヴィラ》をつくりました。私はジェームズ・タレルの《光の館》から坂を下り、母袋俊也の《絵画のための見晴らし小屋・妻有》［03］の切り取られた窓から越後三山を望んだあと、芝生で覆われた《グリーン・ヴィラ》を歩き、走り、転がるのが好きです。気持ちが良い。もともとたほりつこさんはサイトスペシフィックな作家で、阪神淡路大震災の時にできた南芦屋浜復興公営住宅で行われた《注文の多い楽農店》［98］な

どはすばらしいものでした。

《ベリー・スプーン》［03］は、to the woods（トゥー・ザ・ウッズ）の公募作品で、この地にベリー園をつくり、栽培されたベリーでつくったお菓子や飲み物で来訪者をもてなし、さらにはベリーのジャムもつくるというプロジェクトです。地元の南雲要子さんや丸山陽子さん、押木敦子さんらが作家のコンセプトを大切にしながら毎回一所懸命に運営を手伝いつづけて下さって、今では人気の場所になりました。

その隣に設置されているのが、戦中戦後の日本の現代美術に新しいコンセプチュアルな造形を持ち込み、現代美術界を牽引してこられた斎藤義重さんの《時空》［00］です。芸術祭への参加を承諾され、作品の構想をつくられましたが、その後亡くなってしまったので、本作が遺作になってしまったのは残念ですが、その造形の力はいまだにしっかりしたものです。この作品は節黒城跡《ふしくろじょうせき》キャンプ場への道にある吉水浩《森の番人》［00］と対になってゲートサインの役割を持っています。

▷たほりつこ《グリーン・ヴィラ》［03］

▷to the woods《ベリー・スプーン》［03］

①

②

③

④

⑤

⑥

⑦

⑧

節黒城跡キャンプ場

気持ちの良い散策路

ナカゴグリーンパークの奥に、激しい褶曲地層に囲まれた谷があり、そこを登ると節黒城跡キャンプ場があります。場内には先にあげた石井大五や、河合喜夫、塚本由晴の設計による《節黒城跡キャンプ場コテージA・B・C棟》〔00〕があります。そこからさらに奥に進む山道には、スペインのエステル・アルバルダネの《庭師の巨人》〔00〕という、巨人の手足が地中から飛び出ているという見立ての作品があり、広場には、鴨長明、吉田兼好、井原西鶴、良寛、夏目漱石にオマージュを捧げたポルトガルのジョゼ・デ・ギマランイスの《詩人の瞑想の路》〔00〕があり、気持ちの良い散策路になっています。ギマランイスは越後妻有の道の脇にある五〇か所の看板《妻有広域のサイン》〔03〕に、ひとつずつ絵を描いてくれました。また近くには柳健司の遺跡の名残のような階段上の見晴らし台《空と大地の展望台》〔00〕があって、この一帯は充実しています。

そのまた奥には南北朝時代にできたとされる節黒城跡（現在は展望台）があります。その近くの男女の神を祀ってある場に、白川昌生が山なみを彫った石《さわれる風景Ⅰ 城主の座》〔00〕を設置しています。

▷①ジョゼ・デ・ギマランイス《詩人の瞑想の路》〔00〕 ②白川昌生《さわれる風景Ⅰ 城主の座》〔00〕 ③斎藤義重《時空》〔00〕④吉水浩《森の番人》〔00〕⑤エステル・アルバルダネ《庭師の巨人》〔00〕⑥⑦⑧石井大五、河合喜夫、塚本由晴《節黒城跡キャンプ場コテージA・B・C棟》〔00〕

▷柳健司《空と大地の展望台》〔00〕

高倉《たかくら》

サイトスペシフィックな作品

力五山は加藤力、渡辺五大、山崎真一の大学同窓生三人のユニットで、五〇代後半を迎えた今でも複数の芸術祭に参加しています。彼らは川西のいくつかの丘陵部に囲まれた高倉という集落に参加して次のようなプロジェクトをやってきました。

《還るところ》［09］
《祭「還るところ」》［12］
《「つなぐ─還るところ─」》［15］
《十日町高倉博物館─還るところ─》［18］
《高倉写楽 ─還るところ─》［22］

方法としては、地域の人たちの肖像を、記念写真やスナップをベースに絵画として大判に描き、屋外展示することと、集落にとって意味深い校舎や寺院、神社の中や外で展開することが基本ですが、三人のユニットとい

う特質なのか、思い切った展開をすることもあります。二〇一八年には地域の博物的ともいえる作品を手がけ、農器具や民具を音と光で演出し、二階の踊り場から見るという劇場的な展開をしたり、瀬戸内や奥能登の芸術祭でもサイトスペシフィックで新鮮な作品を見せてくれたりしました。

▷力五山—加藤力・渡辺五大・山崎真一—《高倉写楽—還るところ—》［22］

小白倉《こしらくら》・中仙田《なかせんだ》

佇まいが美しい集落

また、川西には今では見られない傑作が展開されました。そのいくつかを記録しておきます。小白倉は平家の落人が拓いた集落と言われていて、一九九六年には「美しい日本のむら景観コンテスト」にて農林水産大臣賞を受賞したところです。そういう山あいの集落では少しずつ、場所を見つけて家を建てていくので、その距離感、点在のあり方が山あいの美しさになっている感があります。先程述べた高倉集落や、全員が「尾身」姓の《鉢&田島征三 絵本と木の実の美術館》がある鉢集落、マーリア・ヴィルッカラの《ファウンド・ア・メンタル・コネクション3 全ての場所が世界の真ん中》［03］がある松代の蓬平《よもぎひら》集落もその佇まいが美しい集落です。小白倉では、「小白倉 いけばな美術館」［06］が

▷下田尚利《小白倉 いけばな美術館》［06］

催され、特に今は亡き下田尚利さんが引っ張ってくれた「新世代集団」による生花の展開が記憶に残ります。

さらに、この集落は錦鯉の産地で、その一発狙い精神がとんでもないと奥様方が言っておられます。一本のもみじの木を、皆で引き廻わす「小白倉もみじ引き」というお祭りも、集落の独特さが表れていて、二〇〇〇年頃から英国のAAスクールが夏季に長い合宿をしつづけてもいます。AAスクールの江頭慎は二〇〇〇年に高倉小学校にて作品も出してくれています。後に東京オリンピックのロゴデザイナーに選ばれた野老朝雄が頑張ってくれていたのを思い出します。

中仙田の道の駅「瀬替えの郷せんだ」の近くは、瀬替えの地ですが、この地形を十分の一に造形し、公園のように使った春日部幹の作品《20 minute walk》〔03〕も残っていますが、これは実際の地形の中にあるミニチュアとして素晴らしいアイディアでした。

また、旧仙田小学校では、東京藝術大学の教員や学生による《克雪ダイナモ・アートプロジェクト》〔09〕を行い、インスタレーションやパフォーマンスを行いました。

小白倉集落に向かう道路脇の、今は誰もいなくなった大倉集落の、点在する空き家に灯りが点っては消えていく近藤美智子の《'HOME' project》〔09〕もありました。当時はおひとりの住民の方がおられ、一匹の犬と過ごしていましたが、その灯りの点滅はとても美しいものでした。

△近藤美智子《'HOME' project》〔09〕

仁田《にた》・野口《のぐち》・上野《うえの》・千手《せんじゅ》

大地の芸術祭を体現する作品

川西の北部、仁田には西野康造の鉄でできた美しいサークル《この大地と空の間》［00］が残っていますが、この周りには記憶に残るプロジェクトがいくつかあります。

小本章は第一回から屋外にキャンバスを立て、その奥に広がる風景と連続する独自の絵画を描き、それらをもうひとつの風景として写真に撮るという作品《自然との共生》［00］で参加しています。剣道七段という修練による立居振舞いで、さすがというべき柔和な笑顔の作家でしたが、第二回展では田んぼの中に滑走路をつくって飛行機から鮮やかな旗を流した作品《地球軸のパフォーマンス／橘》［03］を見せてくれました。

塩澤徳子は、半年のあいだ、作業場の中に米粒二〇〇キロを用いた世界地図《アース・ライス―大地の米―》［06］をつくりました。この膨大な作業を、この地を通るたびに思い出します。

上野には西永寺というお寺があり、ここには剣持和夫が集落全部を回って各家のアルバムを整理して一冊ずつの絵画的過去帳《西永寺本堂 川西 西永寺境内》［00］を展示しました。堂内をまさに衆彩

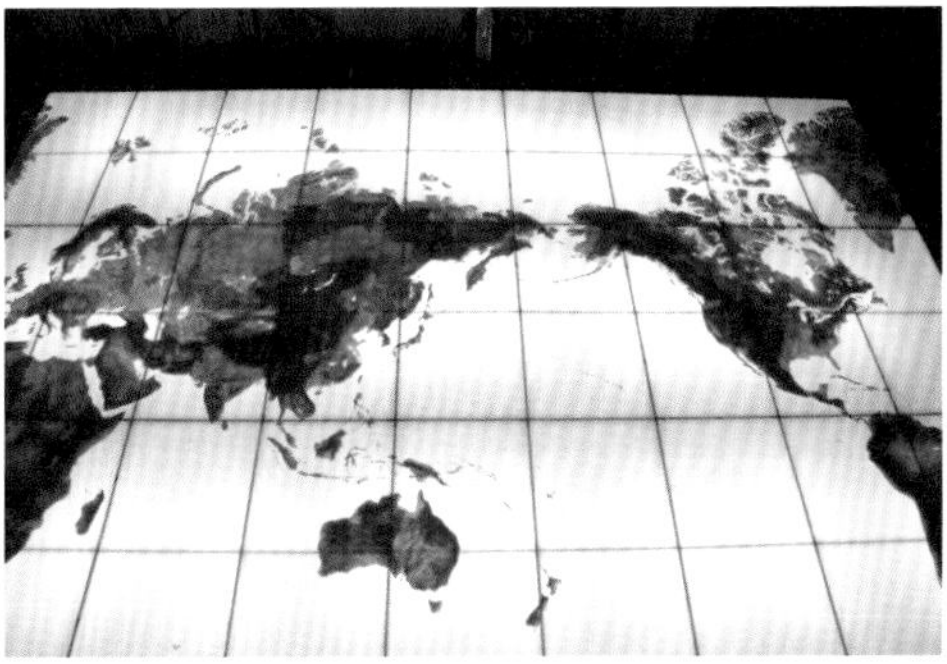

［06］▷塩沢徳子《アース・ライス―大地の米―》

荘厳たる空間にしたことがあり、このすごさは今も記憶に残っています。この時芸術祭に来られた文化財の専門家が、このお寺のすばらしさに感動し、調査して有形文化財として登録されたという後日談もあるほどです。ここでは岡山県津山市の切手アートの達人、太田三郎が作品《SEED PROJECT from TSUMARI》〔03〕を展示したこともありますが、残念ながら今は見られません。

また、西永寺近くには二つの作品が道路沿いにあります。ひとつはデザイナー内田繁による道路内の空き地にある《境界の神話》〔06〕という可愛い作品。この作品がある場所はもともとこの地域の大庄屋だった星名邸（ジェームズ・タレル《光の館》の原形）の内部を通っていた道だというからすごいのですが、星名邸とともに見ると楽しいものです。

もうひとつは、四九号線の川西高校の生徒たちが使っているバス停の横に長さ五六メートルの白い美しいベンチがありますが、これは高校生の日常的な思いを言葉として彫り込んだ足髙寛美の《パッセージ》〔06〕で、ひとつひとつ読んでいくと楽しいものです。

西永寺から県道四九号をさらに南下して十日町方面に向かうと千手神社があります。うっそうとした木立の中に、国松希根太の《記憶の痕跡と明日の杜》〔18〕があります。国松さんはアイヌ民族の故地白老で、その自然との親密な生活に敬意を払った仕事「飛生《とびう》芸術祭」をしているアーティストで、作品空間は清々しい。この作品を見に来られる観衆とのつきあいを千手神社の氏子さんたちは楽しみにしておられます。

また、下条に今も残る《胞衣—みしゃぐち》の作家古郡弘が、土人形のようになって神社の木をた

▷右＝剣持和夫《西永寺本堂 川西 西永寺境内》〔00〕左＝内田繁《境界の神話》〔06〕

◁上＝足髙寛美《パッセージ》〔06〕下＝国松希根太《記憶の痕跡と明日の杜》〔18〕

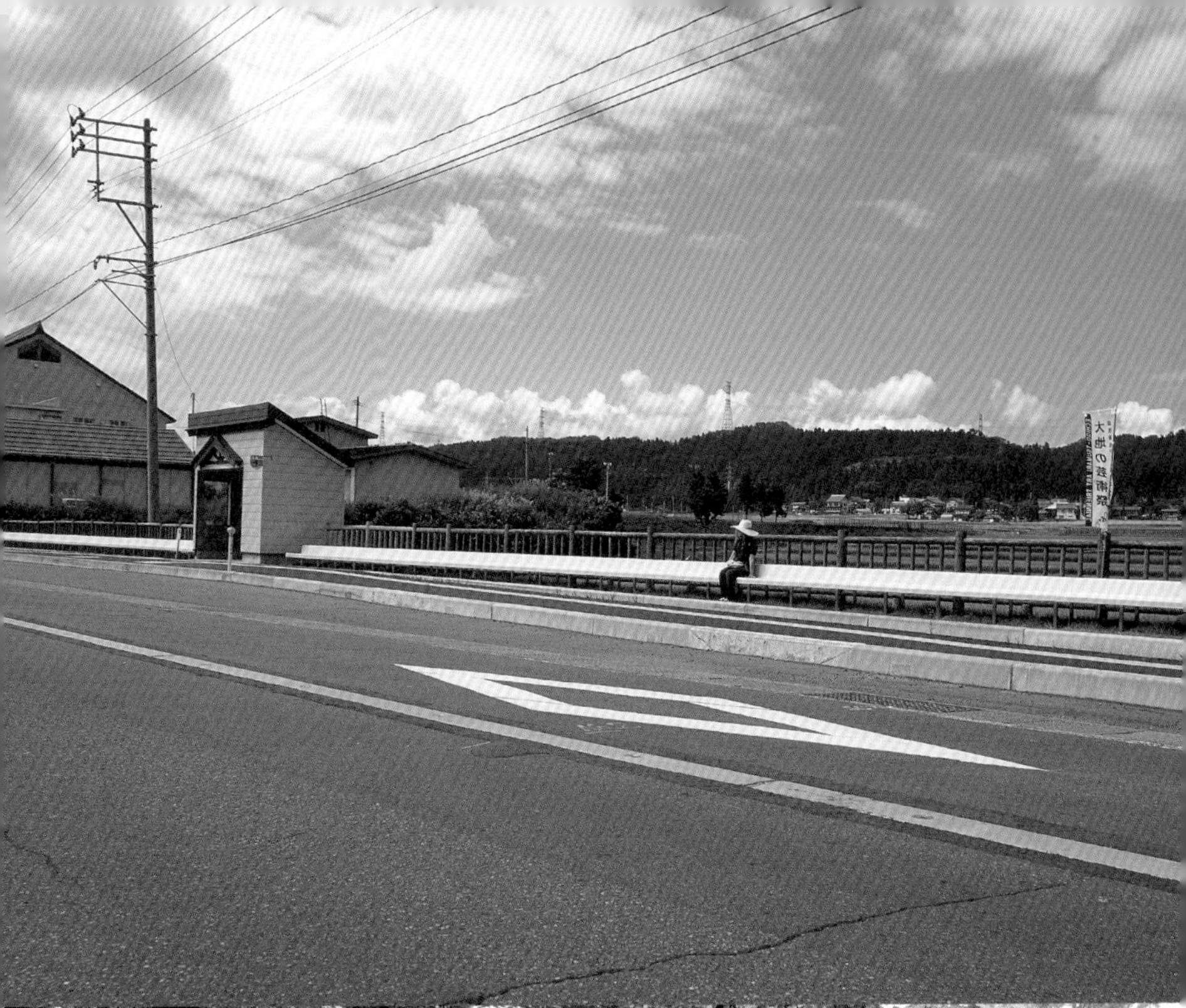
大地の芸術祭

よりに《無戸室》〔00〕をつくっていたことを思い出します。誰の手伝いもなく、黙々と作業をしていた古郡さんは大地の芸術祭の精神を体現していたのです。

5
津南

津南

マウンテンパーク津南 p.131-p.136
M001 蔡國強《ドラゴン現代美術館》
キキ・スミス《小休止》
宮永甲太郎《脈》
ジェニファー・ウェン・マ《何処へ行きつくのかわからない、でも何処にいたのかはわかる?》
アン・ハミルトン《A Cloud of Sound》
ピーター・ハッチンソン《Thrown Rope for Japan》
ワン・スースゥン《幸福の花》
M002 ゲオルギー・チャプカノフ《カモシカの家族》
M003 本間純《森》
M005 栗村江利《再生》
M024 イ・ジェヒョ《0121-1110=109071》
西雅秋《Bed for the Cold》
大久保英治《環流—津南・秋山郷を歩く—》
ステファン・バンツ《私たちのための学園》
景山健《ここにおいて 津南 2006 夏 秋》

M011 キム・クーハン《かささぎたちの家》p.130

上野公民館 p.131 (空き家プロジェクト)
M026 ヴァン・ファイビン《時を超える旅》
センス・アート・スタジオ《東アジア芸術村センター—ドラゴンの迎える場》
中谷ミチコ《川の向こう、舟を呼ぶ声》

M028 リン・シュンロン p.138《国境を越えて・山》
《国境を越えて・村》
《里山に帰ろう》

旧上郷中学校 p.140 (廃校作品プロジェクト)
M052《越後妻有「上郷クローブ座」》
M063 ニコラ・ダロ《上郷バンド—四季の歌》
M064 EAT&ART TARO《上郷クローブ座レストラン》
サンプル/松井周《ヘンゼルとグレーテル ～もう森へなんかいかない～》
M065 イップ・チュンハン《香港ハウス》p.156

外丸小学校 p.022 (廃校作品プロジェクト)
メシャック・ガバ《ミカドゲーム》
カテジナ・シェダー《work in progress, for Echigo-Tsumari》

大倉スノーシェッド
指輪ホテル《あんなに愛しあったのに～津南町大倉雪覆工篇》p.022

M037 アン・ハミルトン (空き家プロジェクト)《Air for Everyone》p.135

M019 霜鳥健二《「記憶-記録」足滝の人々》p.138

本間純《見えない村を目印にして》p.143

トヤ沢砂防えん堤(辰ノロ)
磯辺行久
《土石流のモニュメント》p.128
《サイフォン導水のモニュメント》p.129

開芳機織工場跡 p.129
瀧澤潔《津南のためのインスタレーション - つながり - 》
《津南のためのインスタレーション 地中でそっと暮らしているもの》
ダミアン・オルテガ《ワークプラウド》

旧農政局官舎
山本想太郎《建具ノモリ》p.129

津南中等教育学校 (廃校作品プロジェクト)
岡淳+音楽水車プロジェクト《農具は楽器だ!》p.143

津南町歴史民俗資料館 p.143
磯部聡《MOTION & EMOTION 2003 —手の知—》
海老塚耕一《水と風の皮膚》

Bubb & Gravityfree with KEEN《出逢い DEAI》p.143

島袋道浩《石垣田の作品、蜂箱の作品、結東のもうひとつの作品》p.148

かたくりの宿 p.148
M076 原倫太郎+原游《妻有双六》
本間純《Melting Wall》
根子番楽保存会《根子番楽 妻有の郷に急ぐなり》

旧津南小学校大赤沢分校 (廃校作品プロジェクト)
大赤沢分校プロジェクト(仮) p.149
(監修=深澤孝史)
M074 山本浩二《フロギストン》
M080 松尾高弘《記憶のプール》
松尾高弘《Light book – 北越雪譜 –》

N000 作品番号
作家名《作品名》

- 常設作品
※公開状況は作品により異なる
- 公開終了作品
(2023年11月時点)

廃校作品プロジェクト
空き家プロジェクト

松之山から津南への道とは別に、津南に入る主要ルートは国道一一七号です。長野オリンピックの時に整備され、長野―津南間、特に飯山からは楽しい道になりました。飯山線の、特に冬期の夕方の列車にひとりで乗っていると、壮絶な雪の壁の中をシンシンとコトコトと走る孤独感に身を浸す、すばらしい体験ができます。

辰《たつ》ノ口《くち》

土木事業をアートとして見せる

二〇一一年三月一二日、東日本大震災から一四時間後に長野県北部地震が続き、松之山と津南の辰ノ口の間にある通称「トヤ沢」と呼ばれる沢で、大規模な土砂崩れが起き、約一〇〇メートルにわたって国道三五三号を埋塞しました。雪もかなり残っていたので、その土砂崩れは雪崩でもあったのです。田畑は流されましたが、このあたりは古くから辰ノ口（竜ノ口）と呼ばれ、人が住んではいけないとされてきた場所で、人身事故にはいたりませんでした。かつて土砂災害があった地域では、竜がのたうつ様子に喩えて「竜」「辰」「龍」といった地名が付いていることがあります。古い地名は大切です。

▷磯辺行久《サイフォン導水のモニュメント》[18]

その後、県は流土を集めて鉄の矢羽で囲う砂防ダムをつくりました。土は耐力があるのでしっかりしています。その砂防ダムこそ、この地のサイトスペシフィックな人間の技術（＝アート）であり、本来の土木事業とは、自然とつきあうための人工の技術なのです。磯辺行久はこの地震から砂防ダムまで土木の全体を芸術祭で見せようと考えました（《土石流のモニュメント》[15]）。会期中は三箇《さんが》地区の人たちが地元の産物を出し応援しましたが、県の土木部の職員たちも交代で来て、流土跡を登って見学する来訪者の案内をしたり、ドローンを飛ばした上空からの視察会を行ったりしました。会場にはコンテナを運び込み、その中で越後妻有の土木事業を理解するための磯辺行久による図表・写真を展示したところ、人気のスポットになりました。必然性のある土木工事には人々も関心があり、その形態も美しいのです。

国道を挟んだ、このトヤ沢砂防えん堤の向かいには、一九三九年にできた東京電力信濃川発電所連絡水槽の鉄管流入口があります。これは飯山から信濃川の水を引っ張ってきて、また信濃川に流すという大土木工事によってできたもので、サイフォンの原理で水を山に汲み上げるとい

う仕掛けです。この地下につくられたサイフォン鉄管の中を流れる水の動きを見てもらおうと、磯辺さんはターポリンによる《サイフォン導水のモニュメント》［18］をかなり大きくつくり設置しました。これはなかなかの見物でした。

辰ノ口を出て、温泉があるJR飯山線津南駅に向かう県道四九号沿いには、旧外丸《とまる》小学校があります。ここでは、メシャック・ガバ《ミカドゲーム》［12］や、チェコのカテジナ・シェダーがプロジェクト《work in progress, for Echigo-Tsumari》［15］を行いました。さらに津南駅に向かって進むと信濃川を左手にその雄大な河岸段丘を見ることができます。津南駅に着いたら左折して、国道四〇五号に入り、美しい信濃川橋を渡ると、国道一一七号に出ます。その道の途中には、今はない絹織物工場での瀧澤潔の迫力ある作品《津南のためのインスタレーション―つながり―》［09］、《津南のためのインスタレーション 地中でそっと暮らしているもの》［12］やメキシコのダミアン・オルテガの《ワープ・クラウド》［18］が展示されましたし、途中の広場では山本想太郎による建具を使った楽しい市《建具ノモリ》［12］も開かれました。

ここから国道一一七号に添って長野方面に行くと津南町役場です。役場のある大割野《おおわりの》から左に入っていくと秋山郷《あきやまごう》ですが、そのまま国道一一七号を直進し、物産館を通り過ぎた少し先で右に折れ、くね

▷磯辺行久《土石流のモニュメント》［15］

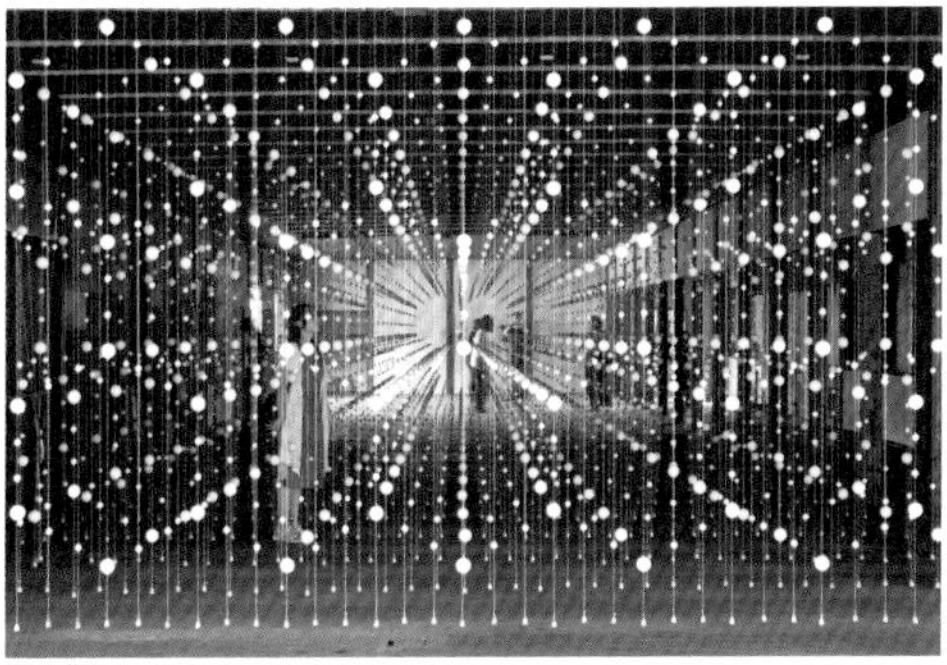

▷左＝ダミアン・オルテガ《ワープ・クラウド》［18］

くねした坂道を上り、県道五三九号に入るとマウンテンパーク津南です。

上野《うわの》・田中《たなか》

東アジア芸術村への道

マウンテンパーク津南に入る手前、登り坂の途中にある上野には、韓国のキム・クーハン（金九漢）による《かささぎの家》［03］があります。彼は仲間たちとやってきて長期間滞在しました。あとになって集落の人が語るところによると、韓国からの荷物が到着するまでのあいだ、「彼らは毎日温泉に行って、楽しそうに飲み会をやっている。何にもやる気がないように見えるし、どうしたら良いだろう」と心配していたそうです。しかし結局、集落の空き地に巨大な焼物による家をつくってしまいました。津南の風景を象嵌《ぞうがん》で描いた家全体を丸ごと窯で覆い、高温度で約一か月焼き込んだのです。その集中力たるや大変なもので、制作中、作家は集落の人々と本当に仲良くなったそうです。

これを機会に、この地域一帯を「東アジア芸術村」としてアジアのアー

ティストの作品を集中させるようになりました。中国のグァン・ファイビン（管懐賓）や韓国のイ・ジェヒョ（李在孝）、台湾のリン・シュンロン（林舜龍）、香港のグループのセンス・アート・スタジオが二回にわたって参加するなど、多くの作家が頑張って作品をつくりました。その後に中谷ミチコの《川の向こう、舟を呼ぶ声》[18]がつくられたのです。この一連の動きは、二〇〇〇年に中国の蔡國強が《ドラゴン現代美術館》をつくったのが出発でした。

▷中谷ミチコ《川の向こう、舟を呼ぶ声》[18]

マウンテンパーク津南

世界最小・空調もない登窯の美術館

《ドラゴン現代美術館》

蔡國強とは、彼が日本に来て筑波大学に籍を置いていた頃（一九八九年頃）からの知り合いで、その理想に燃えた志には、当初から敬意を持っていました。蔡さんは二〇〇〇年に開催された第一回大地の芸術祭のための視察で、雪が解け始めた四月の越後妻有を訪れました。マウンテンパーク津南のスキー場を靴で滑り、転び、楽しんだあげく、スキー場から少し入った雑木林を作品設置場所に選びました。彼には故郷の福州で失われていく登り窯を移築しようとの考えがあったのです。長さ三〇メー

蔡國強《ドラゴン現代美術館》[00]

トルに及ぶ登り窯は解体され、日本に届きました。それが山の斜面に組み立てられていくのです。最終的にその窯の内部に小さな窯を詰め込んで、外部を松の部材で包んで外と内から焼き上げられたのですが、火入れの際には煙突から炎が高く噴き上がり、十日町からも見られたそうです。

彼はその窯を現代美術館とし、その館長に就任し、以下の企画を実行しました。

二〇〇〇年	第一回展	《ドラゴン現代美術館》オープン
二〇〇三年	第二回展	キキ・スミス《小休止》
二〇〇六年	第三回展	宮永甲太郎《脈》
二〇〇九年	第四回展	ジェニファー・ウェン・マ（馬文）《何処へ行きつくのかわからない、でも何処にいたのかはわかる？》
二〇一二年	第五回展	アン・ハミルトン《A Cloud of Sound》
二〇一五年	第六回展	ピーター・ハッチンソン《Thrown Rope for Japan》
二〇一八年	第七回展	ワン・スースゥン（王思顺）《幸福の花》

キキ・スミス《小休止》の時には、その内部に十一体の少女像が置かれました。会期が終わってから、彼女はその少女たちをヴェネチアの展覧会に出品しました。後に手紙とお金が送られてきました。

▷右＝キキ・スミス《小休止》[03] 左＝ジェニファー・ウェン・マ《何処へ行きつくのかわからない、でも何処にいたのかはわかる？》[09]

アン・ハミルトン《Air for Everyone》［12］

「少女たちはヴェネチアの展覧会で購買されました。彼女たちは越後妻有の生まれです。お使い下さい。」

第五回展のアン・ハミルトンは《ドラゴン現代美術館》の周りでパラシュートを揚げた作品《A Cloud of Sound》［12］、同時に田中集落のかつて板金職人が住んでいた空き家を使った作品《Air for Everyone》［12］をつくりました。家全体に白いネットが被せられ、風にそよぎます。家の中には圧搾空気によって音を出すアコーディオンの仕掛けが施され、壁や天井、机など、家全体がさまざまな音色で鳴るという趣向です。素朴な仕掛けに空気が入って伸び縮みするのは気持ちが落ち着くし、家内制手工業のようで美しく、人気のある作品です。

マウンテンパーク津南に今も遺っている作品としては、ブルガリア肖像彫刻の名手ゲオルギー・チャプカノフの《カモシカの家族》［00］があります。彼はイタリアの映画『道』『8 1/2』を手がけた映画監督フェデリコ・フェリーニの肖像をつくりましたが、その縁でマルチェロ・マストロヤンニや、カトリーヌ・ドヌーヴ、日本美術会の吉井忠さんの肖像もつくっています。ファーレ立川では、もともと武蔵野の地にあった農機具の残骸を使って《道祖神（立川の動物たち—馬、羊、犬）》［94］もつくっています。

▷ゲオルギー・チャプカノフ《立川の動物たち—犬》［94］（ファーレ立川）

他には栗村江利が草むらのベッドに枕が置かれた《再生》［00］を、本間純はかまぼこ型倉庫の中に約一万二千本の鉛筆を立て、鉛筆の森を通して津南の森を覗くという仕掛けの作品《森》［00］をつくっています。

スイスのステファン・バンツは、今はなくなってしまった集落の場所に黄色の花を植え、それをマウンテンパーク津南の頂上から遠く望むというプロジェクト《私たちのための庭園》［03］を行いましたが、これは郷愁と愛情をない交ぜにしたような複雑な気持ちで集落のことを想わせる秀作でした。その他には池の中に直径一〇メートルの真っ白なサークルを置くことによって周りの景色を映し込み、定点観測をする西雅秋の《Bed for the Cold》［00］、あるいは景山健の《ここにおいて津南2006夏秋》を思い出します。これは地域の飲食店で集めた割箸三〇万本をひと夏かけて休耕田に植え、それを最終日に燃やすという、およそ不毛とも思えるすごいプロジェクトでした。景山健はこの作品をやり遂げたあと、今も続けられている《河岸段丘花火》を発案し、その後津南から新潟港までの一五五キロメートルの信濃川を一キロごとに連続して五〇〇本の花火を打ち上げるという超サイトスペシフィックな《信濃川プロジェクト2009》を行った不思議なアーティストでした。思えば大久保英治も津南一帯を歩き回り、そこここに木や枝や花を材料にした美術的痕跡を残していったものです。（《環流—津南・秋山郷を歩く—》［00］）

▷大久保英治《環流—津南・秋山郷を歩く—》［00］

◁①キム・クーハン（金九漢）《かささぎたちの家》［03］②グァン・ファイビン（管懐賓）《時を越える旅》［09］③リン・シュンロン（林舜龍）《国境を越えて・山》［09］④ゲオルギー・チャプカノフ《カモシカの家族》［00］⑤本間純《森》［00］⑥イ・ジェヒョ（李在孝）《0121-1110=109071》［09］⑦西雅秋《Bed for the Cold》［00］

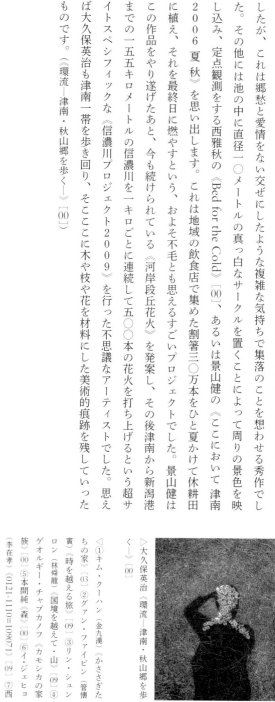

①

②

③

⑥

足滝《あしだき》・穴山《あなやま》

地域全体を巻き込んだ祭り

国道一一七号から長野方面に向かい、狭い橋（上郷橋）を渡った左手に、坂道の展望が開ける場所があります。そこでは、霜鳥健二の住民の等身大シルエット《「記憶―記録」足滝の人々》［09］が、四〇体ほど迎えてくれます。地元の人は、そのシルエットを見るだけでどこの誰だかわかる、集落民にとって嬉しい作品だということです。

少し離れたところに、リン・シュンロン（林舜龍）の《国境を越えて・山》［09］があります。彼はこの集落の人たちと深く関わり、二〇一〇年には穴山集落と台湾の六結村と大忠村が姉妹芸術村協定を締結するに至りました。二〇一五年には杉林の中に日本の家《国境を越えて・村》をつくりました。その際、台湾から多くの楽士や舞踏家とともに来て、フェスティバル《里山に帰ろう》も行い、それは地域全体を巻き込んだ祭りになりました。リン・シュンロンは実は台湾のラグビーの英雄でもあり、大きな大会で決勝のトライを決めた人です。彼には越後妻有、瀬戸内で大がかりな作品をつくってもらいました。特に瀬戸芸の二〇一三年、豊島《てしま》の甲生《こう》で「ゴバンノアシ」という漂流する木の実のかたちをした、木造の船でありホールでもある作品《国境を越えて・海》をつくった時は大人気でした。これは高松港に運ばれ、最近までランドマークになっていたほどでした。

▷リン・シュンロン（林舜龍）《国境を越えて・海》［13］（瀬戸内国際芸術祭）

霜鳥健二《「記憶―記録」足滝の人々》［09］

上郷《かみごう》

被災した中学校を劇場に

《越後妻有「上郷クローブ座」》

旧上郷中学校は立派な建物でしたが、二〇一一年の東日本大震災の翌日に発生した長野県北部地震で校舎が一部損壊したこともあり、閉校しました。この廃校は、県境に位置し、川を越えるともうすぐそこは長野県栄村で、学校の脇を信濃川が渦巻き流れ、国道一一七号沿いにありながら景観は抜群です。建築設計は、アトリエ・ファイ建築事務所出身で、今は家業の工務店を継いでいる豊田恒行にお願いしました。二階にある体育館は、私も委員を務めている東京芸術劇場*のシアターイースト／ウエストとほぼ同じ広さで劇場に適しており、教室も宿泊所にするのに手頃な広さでした。芝居の稽古場でもあり、三〇人以上が宿泊できるレジデンス・スペースを兼ね、さらに公演ができるホールにできないかと思いました。そこで、芸劇で同じ委員でもある徳永京子さんに意見を聞いたり、第五回展に参加してくれた劇団サンプルの松井周に参加してもらったりして、良い劇場になりました。作品展示のスペースも三か所ほど確保することができました。劇場のこけら落とし公演は、当然サンプル／松井周にお願いしました（《ヘンゼルとグレーテル～もう森へなんかいかない》［15］）。また、この劇場の食堂は、ＥＡＴ＆ＡＲＴ ＴＡＲＯの企画で《上郷クローブ座レストラン》と名付け、芝居仕立てのレストランとして、地元の女衆たちに、芝居をしながら給仕する役者になってもらいました。料理のメニューはＴＡＲＯさんに考案してもらい、時々演目を変えながら、今は原倫太郎＋原游による『北越

東京芸術劇場
東京都豊島区西池袋にある総合芸術文化施設。ホールを縦に積み重ねた積層型が特徴。シアターイーストは最大収容三二四席、シアターウエストは二七〇席のホール。

雪譜』をモチーフとした演出で人気を博しています。

ちなみに劇場の「上郷クローブ座」という名称はシェイクスピアのグローブ座*をもじり、地域の食材つなんポークに合う調味料クローブ（チョウジ）から取りました。

『北越雪譜』をモチーフにした一幕

女衆が重そうに背負い籠を背負って教室に入ってくる。

女衆「さて、十日町までのこの白縮の反物を持っていかなくては！　道は七里もあるよ。そろっと、昼めしにしよかな。」

女衆が荷物をおいておにぎりを食べ始めると、異獣が現れ、おにぎりを指して欲しそうにする。

女衆「やや。へんな生きもんがいるぞ。このおにぎりが欲しいてやんかて？」

異獣がうなずく。

女衆「それ。」

女衆が手渡したおにぎりを、異獣が美味しそうに食べる。

*グローブ座（Globe Theatre）ロンドンのテムズ川南岸のサザーク地区にあった劇場。一五九九年にシェイクスピアの劇団であった国王一座によって建てられた。一六四二年に劇場閉鎖により廃業。

▷EAT&ART TARO《上郷クローブ座レストラン》[15]

女衆「美味しいか？　このおにぎりはタロウ印のおにぎりだ。美味いだろう？」

という流れで、お客さんにもコシヒカリの塩おにぎりが配られます。

食堂の前室で作品を手がけたのがニコラ・ダロです。彼はフランスの美術学校「エコール・デ・ボザール」でクリスチャン・ボルタンスキーの教え子だった人で、パリ在住の白羽明美さんの紹介で知り合いました。彼はこの教室から見える家をモデルにした舞台、タコ（春）、猫（夏）、熊（秋）、雪男（冬）からなる四人の演奏家の人形をつくりました。十二曲の中から来訪者は好きな曲をかけることができて、曲に合わせて人形が動作する人気作品です（《上郷バンド―四季の歌》［18］）。彼は、二週間ここに住み込んで黙々と仕事をしていました。曲と動作をシンクロさせる作業は手間がかかります。ちなみに、ここで使われている家のモデルは、この教室の窓からかつて見えた民家です。この時の彼の仕事は、二〇二一年に実現するモネでの作品につながっていきます。

大割野・中深見《なかふかみ》・太田新田《おおたしんでん》

維持することの難しさ

津南町には中学校と高等学校が一緒になった津南中等教育学校（一三〜一八歳が在校）があります。勉学、部活動も熱心です。二〇二二年にこの学校の体育館では、ジャズのサックス奏者である岡淳が作品を展開しました。地域の不要になった農器具を集め、集まった唐箕や民具を楽器にして展示し（《農具は楽器だ！》［22］）、岡さんのお仲間である四名のパーカッショニストを招いて演奏会も行われました。もちろん学生たちも唐箕の楽器を演奏し、感動的な音楽会になりました。岡さんは岩手県の一関市にアトリエをつくり、水車を使った水車音楽会を一〇年間つづけました。宮沢賢治の精神が流れています。

大割野から大赤沢《おおあかさわ》へ向かう国道四〇五号に入り、左手に少し行った先にはいくつかの集落があります。船山《ふなやま》集落にある津南町歴史民俗資料館には磯部聡の《MOTION & EMOTION2003—手の知》［03］、さらに行った中深見集落では、海老塚耕一の《水と風の皮膚》［03］や、本間純の《見えない村を目印にして》［12］がありました。あるいは、さらに奥に進んだ太田新田集落では、アウトドアフットウェア・ブランドのKEENがスポンサーになって、以前《出逢いDEAI》［15］という作品を展開

▷ニコラ・ダロ《上郷バンド—四季の歌》［18］

▷岡淳＋音楽水車プロジェクト《農具は楽器だ！》［22］

してくれましたが、これらの作品は今はありません。制作した作品を持続するには手間暇がかかる上に、集落の高齢化や過疎化の勢いが激しいこともあり、外部の手助けなしには成り立たないのです。これは越後妻有全体の課題です。越後妻有では七六〇平方キロメートルに及ぶ、東京二三区あるいは琵琶湖に匹敵するほどの広さを持つ広大な地域全体の活性化を、初めからの前提としてやってきました。行政の人的、経済的サポートには限界があるなかで、企業や個人による、他では考えられない助力に支えられてきましたが、これからその限界を今ひとたび超えなくてはならない時期にきていると思います。

▷本間純《見えない村を目印にして》〔12〕

結東《けっとう》

圧倒的な景観、秘境への入口

ニュー・グリーンピア津南から結東、穴藤（どちらも「けっとう」と言います）に入るには、雑木林の中を通る道があります。途中に見玉《みだま》不動尊があり、門前にお茶屋さんがあり信仰の深さが知れます。途中に津南見玉公園という、中津川を挟んで向かいに柱状節理の絶崖が見える公園があります。ここから見る石落しの光景は圧巻で、ジオパークの中心とも言えるものです。その奥には東京電力中津川発電所に水を引く一七一メートルにわたる鉄管があり、水が垂直に降りていく眺めは迫力で、川には流木が浮いています。

私が越後妻有に来たのは一九九五年の冬でした。地域外から来る人の多くは、この細い断崖の雪道に尻込みします。私にとって秋山郷*は越後妻有を想う時の代名詞でした。山また山の中の豪雪地、冬季は義務教育免除で、ヘリコプターで必要な物資が届けられる、というのが小学生の頃にニュースで知ったことです。そしてこの仕事に関わる機縁となったのが、冬の秋山郷へのドライブでした。たまにある、細い道での車のすれ違いは命からがらといったものでした。秋山郷へは下道からも行きましたし、石落しの上の沖の原から降りて結束に入ったこともありました。

見玉不動尊から秋山郷方面に行く時、清水川原《しみずがわら》橋手前の分岐で国道四〇五号か、左手に入る深い森の中を走る林道のどちらかを通ります。数か所に季節使用の家が建っているだけで、工事用のトラックと行き交うだけの心落ち着く行程です。右からは結束を通るのですが、その奥には石垣田が広がります。明治に畿内から職人を呼んで、落石を使って何層かの城壁のような石垣田がつくられました。越後妻有地域の人たちの稲作への願望がつくり上げた決定的な光景です。

旧中津峡小学校・中津中学校結束分校という、石垣田のそばの廃校を活用した宿泊所の委託管理の

▷津南見玉公園から石落としを眺める

秋山郷
信濃川の支流、中津川の上流域に点在する集落の総称で、津南町から長野県最北端の村、栄村へと続くエリア。日本の秘境一〇〇選のひとつで、山肌迫る渓谷美は紅葉の名所として知られ、日本でも数少ない石垣田を有する。平家落人の伝承やマタギ文化など、昔ながらの生活様式が色濃く残る秘境地域。

START

話が出た時、私たちは二度その運営に名乗りを上げました。二〇〇九年からやっと管理委託を受け、宿泊施設の運営をやっていますがなかなか大変です。以前は冬季の交通はままならず、一九三五年まで義務教育免除が続いていたほどの豪雪地です。ただ、結束の石垣田を守るためにも、秋山郷の歴史を残すためにも、大地の芸術祭をやる限りは何らかのかたちで関わろうと覚悟は決めていました。この石垣田を見ていただくことが、この地域を根底で理解することだと考え、拠点となるこの「かたくりの宿」を守らなくてはと思ったのです。

［津南町立中津峡小学校・津南町立中津中学校結束分校の歴史］

一八八四年（明治一七年）	民家にて開校
一八九二年（明治二五年）	義務教育免除地に指定
一九三二年（昭和七年）	現存する校舎の建設
一九三五年（昭和一〇年）	義務教育免除地指定解除
一九八六年（昭和六一年）	休校
一九九二年（平成四年）	閉校

▷上＝原倫太郎＋原游《妻有双六》［22］
下＝石垣田

▷見倉橋

大地の芸術祭では、来訪者に足を運んでもらいたい地域の場所の近くに、ベースとなる作品をつくるようにしてきました。十日町北東部の山あい入集落《うぶすなの家》［06］、柏崎市に隣接する松代の清水《しみず》集落《妻有アーカイブセンター》［22］、松之山の美人林脇の《越後松之山「森の学校」キョロロ》［03］、大厳寺《だいごんじ》高原キャンプ場の作品群、などです。それはアートプロジェクトのとりあえずの採算性を度外視した、大地の芸術祭のミッションだと考えてきました。

この「かたくりの宿」がある結束集落では、本間純が校庭のプールで《Melting Wall》［03］を制作した他、島袋道浩が石垣田の休耕田に花を咲かせるプロジェクト《石垣田の作品「白いはじまり」》［18］や、見倉《みくら》橋近くで米を運ぶためにかつて使われていたロープウェイで野菜を引っ張り上げるプロジェクト《結束のもうひとつの作品「空飛ぶきゅうり、空飛ぶトマト」》［18］を行いました。「かたくりの宿」では、原倫太郎＋原游が小さな体育館を使った《妻有双六》［22］をやっています。マタギの本拠地北秋田市阿仁根子《あにねっこ》集落の根子番楽《ねっこばんがく》保存会に来ていただき、《根子番楽 妻有の郷に急ぐなり》［15］を舞っていただきもしました。「かたくりの宿」は、いい湯も出て食事も上手いので、二〇二二年にやっと黒字になり、二〇二三年の冬には四日間冬季にも宿を開けました。いずれにせよ、結束から大赤沢を巡るふたつの道は壮観だし、特に秋の紅葉は日本一と言って良いほどの、厚い手織りさながらの身体を包むような深さです。

▷右＝島袋道浩《結束のもうひとつの作品》［18］ 左＝根子番楽保存会《根子番楽 妻有の郷に急ぐなり》［15］

大赤沢

旧津南小学校大赤沢分校

《大赤沢分校プロジェクト》

結束からさらに奥の大赤沢は、長野県境にある文字通り越後妻有最深奥の集落で、五千年前からこの地に人は住んでいました。江戸時代以降でもここは幕府の鷹狩り用の鷹を保護するための場所として使われていたとも言われ、鈴木牧之の『秋山紀行』『北越雪譜』で有名になる二百年ほど前には、秋田からマタギがやってきました。また中津川の発電所に見られるように、高低差のある川と山は日本の近代化のなかで大切な役割を持っていたようです。

二〇二一年に大赤沢分校を閉じることになって、そこを博物館的美術の展示場としていこうと考え始め、二〇二二年の第八回展には深澤孝史を中心に山本浩二《フロギストン》[22]、松尾高弘《記憶のプール》《Light book ― 北越雪譜―》[22]の三名の作品を展開しました。清水川原橋を渡って「かたくりの宿」を通っていく道も、もう片方の森深い林道を通っていく道もすごい。それだけでも充分な醍醐味を味わえますが、今は深澤孝史をディレクターとして、建築の佐藤研吾にも加わっていただき、さらに魅力的にするための準備をしているところです。私は、人間が自然と関わっていくあり方と、それが世界的にはどんな普遍性と個別性を持っているのかを知りたいと作業を進めているのです。

▷山本浩二《フロギストン》[22]

6 松之山

松之山

Y019 手塚貴晴＋手塚由比
《越後松之山「森の学校」キョロロ》p.159
Y021 庄野泰子《キョロロのTin-Kin-Pin —音の泉》p.160
Y022 逢坂卓郎《大地、水、宇宙》p.160
Y023 遠藤利克《足下の水（200㎥）》p.160
Y025 ジェニー・ホルツァー《ネイチャーウォーク》p.168
川俣正《松之山プロジェクト》p.169

旧三省小学校 p.158
Y027 リンダ・コヴィット《名前蔵》
Y045 アイガルス・ビクシェ《ラトビアから遠い日本へ》
Y109 レアンドロ・エルリッヒ《Lost Winter》

旧松之山小学校
Y029 舟越直木《星の誕生》p.171

池尻交差点
Y026 ジョン・クルメリング
（テキストデザイン浅葉克己）
《ステップ イン プラン》p.153

Y013 マリーナ・アブラモヴィッチ
《夢の家》p.179
Y035 ジャネット・ローレンス
《エリクシール／不老不死の薬》p.182

ローレン・バーコヴィッツ
《収穫の家》p.182
ロビン・バッケン
《米との対話》p.182

東京都市大学手塚貴晴研究室
＋彦坂尚嘉《黎の家》p.067

ギャラリー湯山 前山忠
《ギャラリー湯山》p.183

Y072 塩田千春
《家の記憶》p.176

大成哲雄／竹内美紀子
《上鰕池名画館》p.174

磯崎真理子
《Flowers(2012)
「We are here!」》p.176

旧オーストラリア・ハウス
p.190-191
ルーシー・ブリーチ
《オーラル・ファイバー》
アレックス・リツカーラ
《日本美術陳列室》
リチャード・トーマス
《OIKOS》

Y106 サンティアゴ・シエラ
《ブラックシンボル》p.179

旧東川小学校 p.172-174
Y052 クリスチャン・ボルタンスキー
＋ジャン・カルマン《最後の教室》
Y101 クリスチャン・ボルタンスキー
《影の劇場 〜愉快なゆうれい達〜》
岡部昌生
《岡部昌生フロッタージュ・コラボレーション・
松之山プロジェクト「風のサブロウサマに会えるか」》
クリスチャン・ボルタンスキー《夏の旅》
EARTHSCAPE
《MHCP（メディカルハーブマン・カフェ・プロジェクト）》
森山未來《The Pure Present》

現オーストラリア・ハウス p.190-192
Y082 アンドリュー・バーンズ・
アーキテクト
《オーストラリア・ハウス》
ブルック・アンドリュー
《ディラン・ンラング-山の家》
Y107 ホセイン＆アンジェラ・ヴァラマネシュ
《ガーディアン》
アンドリュー・リワルド《故郷を感じる》
ハイディ・アクセルセン、ネイサン・ホークス、
ヒューゴ・モリーン《2000のわらじと200の足》
SNUFF PUPPETS《越後妻有の巨大パペッツ》
エレナ・ノックス《あざらし話》

Y068 山本健史
《掃天帯土
（そうてんたいち）
ー天水越の塔ー》p.184

逢坂卓郎 p.184
《LUNAR PROJECT－
月光を捕えるプロジェクト》
マリア・マクダレーナ・
カンポス＝ポンス p.185
《連想のフィールド》

松之山温泉街 入口
Y011 CLIP《峡谷の燈籠》p.177
Y012 笠原由起子＋宮森はるな
《メタモルフォーゼ—場の記憶—
「松之山の植生を探る」》p.178

越後妻有大厳寺高原キャンプ場 p.186-187
Y002 ケンデル・ギール《分岐点だらけの庭》
Y003 眞板雅文《悠久のいとなみ—The Eternal》
Y005 植松奎二《大地とともに—記憶の風景》
Y006 ジミー・ダーハム《◬》
村岡三郎《SALT》
フィオナ・フォリー《達磨の目》
クー・ジュンガ《ハンドラズホープ（B.L.に捧ぐ）》
ジェイソン・ドッジ
《服についてのラブソングを思い浮かべる
—今、1年で一番長い日、それがきみだとわかった》

N000 作品番号
作家名《作品名》

- 常設作品
※公開状況は作品により異なる
- 公開終了作品
（2023年11月時点）

廃校作品プロジェクト
空き家プロジェクト

松之山のシンボリックな看板

《ステップ イン プラン》

松代から松之山に入っていく池尻の交差点にオランダの建築家ジョン・クルメリングによる松之山の看板《ステップ イン プラン》［03］があります（ちなみに、まつだい「農舞台」の横にある、まつだい郷土資料館は、池尻の交差点の奥にあった家を移築改修したものです）。これは新潟県のポケットパーク整備事業*でつくられたもので、松之山エリアの地図にもなっている大きな看板に、実際に人が登り楽しめるようになっています。池尻の交差点から、キョロロ→美人林→松之山温泉郷→大厳寺高原と、距離的に遠くなるにつれ、文字デザインが上になっていくという仕組みです。文字のデザインは浅葉克己さんにお願いしました。

クルメリングには面白い話があります。私が事務局長を務めた二〇〇一年の「日本・ヨーロッパ建築の新潮流」展に、彼はオランダ代表で参加していました。税関倉庫の上にグローバリズムを揶揄する小屋を乗っけた作品や、文字通りの乗用車をそのまま乗せて回る観覧車をつくった《Drive-in ferris wheel》の建築家でした。事務所に電話をかけると小さな子どもが出てきて、「父ちゃんを呼んでくるよ」と返答があったので、家でひとりで仕事をしていたようです。また、ラジオ番組を持って

*ポケットパーク整備事業
街路整備や公共の広場の修繕など、小規模な空間の修景を行う自治体の公共事業。この事業で整備される空間デザインにアーティストが関わり、大地の芸術祭の作品として制作した例がいくつかある。

△ジョン・クルメリング《パイオニアズ・ハウス》［99］

ョン・クルメリング ブ・イン・プラン》［03］

いて、人気があるらしい。大きな仕事が来ると友だちに回し、その友人の事務所では設計労働者としても働いているそうです。

　クルメリングには瀬戸内で《Watch Tower》[22]と、小さな展望台《hi 8 way》をお願いしました。《hi 8 way》は、瀬戸内で公開したのち、松代城山《まつだいじょうやま》に移築され、今も登ることができます。彼が上海万博でつくったパヴィリオン《Happy Street》[10]の原型が、この《ステップインプラン》だったと言います。

　ここで越後妻有に関わった建築家の一覧を載せておきます。

[建築的な作品を手がけた作家]

R&Sie建築事務所、アトリエ・ワン＋東京工業大学塚本研究室、アンドリュー・バーンズ・アーキテクト、石井大五、石松丈佳、伊藤嘉朗、岩城和哉＋東京電機大学岩城研究室、リチャード・ウィルソン、MVRDV、小川次郎／日本工業大学小川研究室、カサグランデ&リンターラ建築事務所、春日部幹、河合喜夫、CLIP、ジョン・クルメリング、杉浦久子＋杉浦友哉＋昭和女子大学杉浦ゼミ、芹川智一、ジェームズ・タレル、千葉大学栗生明研究室（有志）、チャン・ユンホ（張永和）＋非常建築、塚本由晴＋アトリエ・ワン＋三村建築環境設計事務所、槻橋修＋ティーハウス建築設計事務所、手塚貴晴＋手塚由比、東京電機大学山本空間デザイン研究室＋共立女子大学堀ゼミ、日本工業大学小川次

▷ジョン・クルメリング《hi 8 way》[18]

郎研究室+黒田潤三、原広司+アトリエ・ファイ建築事務所、日置拓人、PHスタジオ、プロスペクター、ペリフェリック、ドミニク・ペロー、マ・ヤンソン／MADアーキテクツ、キャロル・マンク、みかんぐみ+神奈川大学曽我部研究室、武蔵野大学水谷俊博研究室、山田良+山田綾子

［二〇一八年の「〈方丈記私記〉──建築家とアーティストによる四畳半の宇宙」に参加した建築家とアーティスト］

asoview! × OKAHON、伊東豊雄建築設計事務所、Eri Tsugawa+Motoya Iizawa、all(zone)、岡藤石、小川次郎／アトリエ・シムサ、カサグランデ・ラボラトリー、KIGI、菊地悠子、ミシャ・クバル、GRAPH+空間構想、小山真徳、シープラスアーキテクツ、シャン・ヤン（向阳）、大舍建築設計事務所+イン・イー（殷漪）、東京藝術大学美術学部建築科藤村龍至研究室、ドットアーキテクツ、New-Territories/architects、藤木隆明+工学院大学藤木研究室+佐藤由紀子、スー・ペドレー+岩城和哉+東京電機大学岩城研究室、ドミニク・ペローアーキテクチャー、前田建設工業株式会社建築事業本部建築設計統括部、矢野泰司+矢野雄司／矢野建築設計事務所、uug、YORIKO、ラグジュアリー・ロジコ（豪華朗機工）、ワン・ヤオチン（王耀慶）

［作品の設計や改修を手がけた建築家］

安藤邦廣+里山建築研究所、イップ・チュンハン（葉晉亨）、今村創平、金箱温春、久保田街香、CLIP、田尾玄秀、利光治、豊田恒行、中村祥二、P.A.ボネット（ストラーダ・アーキテクチャー）、松井正澄、キャ

ロル・マンク、南泰裕、八尾廣、山岸綾、山本想太郎

こんなに建築家の作品が多いのは、世界的にも珍しいそうで、海外の書籍や雑誌にも芸術祭の建築作品がたくさん載っていますし、海外からの建築青年が多く巡ってくれています。

浅葉克己のエピソードも面白い。最初に会ったのは、IBMが行っている伊豆会議で、白いパナマ帽、赤シャツに白いスーツ、リュックを担いで長い傘を持っていて、チョビ髭を生やしていました。田舎から出てきた、モダンで得体の知れないおじさんといった具合です。浅葉さんは《ステップ イン プラン》を米一俵で請け負ってくれ、以来松之山での仕事は米一俵が相場になりました。この仕事では、グラフィック受賞も多くあり、「割に合っている」と彼は言っています。それから氏の文字の修練は見つづけてきており、奥能登国際芸術祭のグラフィックディレクターも担当していただき、さらに《石の卓球台第3号》[21]という作品もつくっていただきました。石の反撥力がいいのです。浅葉さんは、卓球の方も「東京キングコング」というクラブチームをつくるほど修行していて、並みの人ではありません。

▷浅葉克己が手がけた奥能登国際芸術祭のロゴ

三省《さんしょう》

懐かしさ漂う木造校舎

《三省ハウス》

池尻の交差点を松之山に向かう国道三五三号に入り、少し進んで右手の小道に入ると木造校舎の旧三省小学校があります。私たちはそこをセミナーや家族・仲間の小旅行の宿泊所として運営し、同時に作品の展示やワークショップの場として使っています。会期前になるとアーティストやこへび隊もこの施設に寝泊まりして、賑やかな空間になります。

今は第二回展の時にカナダのリンダ・コヴィットが住民とつくった焼物《名前蔵》［03］、第三回展にラトビアのアイガルス・ビクシェが、集落一軒一軒の意向を聞いてつくった木工の家具《ラトビアから遠い日本へ》［06］があるほか、二〇一七年に設置されたレアンドロ・エルリッヒの《Lost Winter》が応接・団欒の部屋を使ってつくられています。かつては小学校であった校舎は、その後も多種多様に使われ、二〇〇六年には中村祥二により大規模な改修が施されました。さらに、第一回展のこへび事務局をやってくれていた建築家の三輪良恵に館内のサイン看板のデザインをしていただき、現在にいたっているのです。まわりにはムササビが住む木があり、近くの小川にはホタルが舞い、夏には近くの農家で野菜の朝もぎ体験ができるすばらしい環境にあって、私にはきわめて懐かしい宿舎になっています。

▷右＝三省ハウス　左＝アイガルス・ビクシェ《ラトビアから遠い日本へ》［06］

《「森の学校」キョロロ》

住民全員が科学者

松口《まつぐち》

松之山の《越後松之山「森の学校」キョロロ》については、佐藤利幸町長の話から始めます。一九九七年からのあらゆる会議や説明会でご一緒し、平成の市町村合併で二〇〇五年に松之山町長を辞められたあとも、安塚高校松之山分校存続運動*でかなりお会いしましたし、亡くなられた時にはご尊顔に立ち合わせていただきました。「サザエさん」に出てくる波平さんにそっくりの、人の良さが感じられる方で、夕方の会議のあとはいつもお家のそばで飲んでいかれましたが、一杯も強要はしない方でした。五〇回近くに及ぶ会議で同席させていただきましたが、嫌になることは一度もありませんでした。はったりと強弁のない方で、森の科学館としてキョロロが現在あるのは、佐藤さんの精神が残っているからだとつくづく思っています。学校存続運動でご一緒してからよくわかるようになったことがあります。佐藤さんは、昭和一〇年頃、高等学校を松之山につくろうとした頃、中学三年生のいる家庭に個別訪問をして高校入学を勧誘したそうです。今、七、八〇代の人の聞き書きを妻有新聞などで読んでも、中学から高校に行った人はあまりおらず、津南や十日町の分校育ちの学生が、卒業式で本校に初めて行って、その大きさに驚いたというような時代のことです。この地域に高校を誘

安塚高校松之山分校存続運動
新潟県立安塚高等学校の本校（現在の上越市内）は二〇一七年に廃校となったが、松之山分校は地元住民が強く存続を希望し、十日町高校に移管された。

致することは、お医者さんに来てもらうのと同じくらいの願望だったのです。

松之山は上杉謙信の隠し湯がある場所といわれ、古くから日本三大薬湯として名高い温泉地です。雪深く、厳しい生活を強いられる地域で、町民は忍耐強く、意識が高く、過疎が進むなかでも保健所は最後まで残っていましたし、教育に力を入れてきた土地柄です。一〇名の町会議員のうち二名が反対派党派の時代もありました。市長村合併後、何を松之山の中心施設にするかについて検討した時、渡り鳥の営巣地でもあり、野鳥をはじめ絶滅危惧種を含む多様な生物が生息し、里山の自然がよく残っている地域であること、昆虫採集で著名な志賀夘助*さんの出身地ということもあり、森の科学館のようなものが良いだろうと町長に進言しました。この科学館の進むべき方向については、最初に宇宙物理学者の池内了*さんに参加していただくことを考えていました。池内さんは中谷宇吉郎さんの北海道大学での雪の研究、地域の科学精神を育て、かつ住民の中に生きる科学のあり方に敬意をもち、「住民全員が科学者」「その日常の記憶・記録が科学の基本」という考え方をキョロロ出発の精神に据えてくれました。ちゃんとした研究者を置かねばならないという考え方もそうです。現在は小林誠さんという学芸員が頑張っていますし、ＯＢ・ＯＧの学芸員・研究員は、日本各地の大学や研究機関、博物館で活躍しています。

手塚貴晴＋手塚由比よる設計の森の科学館の実現に向かって、いくつかの提案をクリアしていっても、その施設にアートなるものが入ることが余分だという反対がありました。作品としては逢坂卓郎の宇宙線感知《大地、水、宇宙》[03]、庄野泰子の音《キョロロの Tin-Kin-Pin —音の泉》[03]、遠

志賀夘助
（一九〇三—二〇〇七）松之山生まれ。昆虫調査機器や昆虫を商う会社を立ち上げ、昆虫学の普及に力を注いだ。十日町市名誉市民。

池内了
一九四四年生まれ。天文学者、宇宙物理学者。宇宙の進化、銀河の形成などを研究。科学と現代社会の関わりについてわかりやすく解いた書籍も多数執筆。

▽①橋本典久＋scope《ZooMuSee》[22] ②逢坂卓郎《大地、水、宇宙》[03] ③遠藤利克《足下の水（２００㎥）》[03] ④庄野泰子《キョロロの Tin-Kin-Pin —音の泉》[03] ⑤志賀夘助コレクション ⑥手塚貴晴＋手塚由比《越後松之山「森の学校」キョロロ》[03]

①

②

③

④

⑤

⑥

藤利克の水の気配《足下の水（２００㎥）》［03］など、目に見えないものによって自然を感ずるという提案でした。また、昆虫採集やその科学館での体験は、森を守る意識に寄与するという思いも含まれています。

　最終的には、遠藤さんの作品の、地中に閉じ込められた水の気配を、「あんたは本当に感ずることができるのか」と反対者に聞かれ、私は「箱根にある遠藤さんの《森に生きるかたち》に行きましたが、体感できませんでした」と率直に回答したところ、それが逆に笑いを誘い、「よし、正直でよろしい」という結果になりましたが、これも佐藤元町長の誠実な対応の賜物だと思います。

　現在も根幹となっている考え方は「自然を活かした里山の知を地域博物館で見える化する」というもので、豪雪地のブナ林に見られる生物多様性の特徴やその恵みを、この科学館の裏山の実地で知ってもらうことでした。山仕事で出た木々を縛るために藤蔓を用いること、水を引く田んぼの方向を変えるために「線香番＊」を行っていたこと、畦畔《けいはん》の草を刈る範囲は「ひとかまどおり」という手鎌の届く範囲までという決まりなど、里山や田んぼを守るための生活の知恵（ルール）なども教えてくれます。彼らはこういった地域の生物多様性・伝統生活知を森の科学館で見える化し、将来の地域づくりに活かそうとしています。その活動は生半可なものではありません。ワークショップの数は年の半分にものぼり、地域外からの参加が八〇パーセントを超え、かつリピーターが四〇パーセントと、そのレベルと誠実さが知れるというものです。ホタル観察会などの生き物の観察や、田植え体験、木工体験など、一度参加すると期待を裏切らない楽しさは遠くからのリピーターを誘うのです。その他、多くの小中学校への出張授業も行われており、このようなキョロロの教育活動は、日本自然保護大賞（教育

線香番
それぞれの田んぼに水が行き渡るように、線香が燃え尽きる時間によって水を引く方向を調整する仕組み。

普及部門）を全国の博物館で初めて受賞するなど、全国的にも知られています。活動とその方針の例として、キョロロでは、さまざまな自然体験活動で子どもたちが採集した生き物は、観察した後必ず元の場所に戻すことを、子どもたちと約束しています。これは「生き物を持ち出さない、持ち込まない」ことが地域の生態系を守る上で重要であり、正しい知識で自然を探究し、その守り手になっていってほしいというものです。おかげで幼少の頃、親に連れてた子どもたちは熱心なリピーターになり、自然に親しみ、自然を守る意識を持ってくれているようです。

コラム② 地球環境セミナー

キョロロをつくっていく精神は、地域環境セミナーの開催ともつながっています。会場は十日町市の道の駅クロステン、当間高原のベルナティオなどです。テーマは「地域再生のモデルをつくっていく」「公共性を持つとはどういうことか」という実践的なことから「媒介者としてのアート」という先見的な課題がすでに考えられていました。そのベースには、芸術祭のテーマである「地域環境問題」が据えられていました。参加者はパオロ・ソレリ、ジェームズ・タレル、キドラット・タヒミック、フランソワ・エルス、ウルリッヒ・シュナイダー、中原佑介、高橋悠治、真野響子、原広司、池田要、柳澤伯夫、岡田幹治、原田明夫、太田省吾、神林章夫、小澤一郎、花岡千草、間宮陽介、小出治、袴田共之、清水汪、前田又兵衛、尾田栄章らの人たちです。これらの幾人かについて、ここでご紹介します。

パオロ・ソレリ

ソレリと最初にお会いしたのは、一九八〇年の日本文化デザイン会議でのことでした。この会議の主催団体の幹事であったデザイナーの粟津潔*さんは、青年時代にソレリが運営しているアリゾナのアーコサンティ*に行ったことがあり、同じく幹事の黒川紀章さんと相談して、お招きしようということになったのです。当時、「粟津組」（と私が勝手に呼んでいるだけですが）の一員を自認していた私は、粟津さんの手伝いでソレリの対応を担当したのがきっかけで、以来私は自らも、視察団をコーディネートしたり、アーコサンティの財源である「ソレリベル*」を売ったり、実験都市を管理しているコサンティ財団の理事にも指名されたりと縁が深くなっていきました。

ソレリはイタリア生まれの建築家で、最初は近代デザインの始祖でもあるフランク・ロイド・ライトの事務所で働いたのち、アメリカを数年間放浪します。さながら『ダンス・ウィズ・ウルブズ*』の世界です。その後アメリカから故国に帰りレンガ職人の修行をし、アリゾナの砂漠でエコロジカルな都市である「太陽の町」を自力で仲間たちとレンガを使ってつくり始めます。宇宙物理学者であるカール・セーガンや、スクラップ＆ビルド、アメリカン・ドリームの持つ未来を危惧する知識人たちも手伝いました。ソレリがＮＡＳＡの宇宙開発を批判したことは、開発一辺倒の途をひた走るアメリカへ

粟津潔
（一九二九―二〇〇九）戦後日本のグラフィックデザインを牽引したデザイナー。絵画・デザインを独学で学び、本の装丁や映画ポスターの他、マンガ、映画美術、パフォーマンスや空間設計まで幅広い分野のデザインを手がけた。

アーコサンティ
アリゾナ州の砂漠の中にある実験都市。建築家パオロ・ソレリ（一九一九―二〇一三）が提唱したアーコロジーのコンセプトに基づき、一九七〇年に建設を開始。環境破壊を最小限に抑えながら都市環境の改善を実証している。

の忠告となったのです。残念ながらアメリカ政府には忌避されましたが。七月一日、太陽の日に生まれたソレリはその恐るべき構想と勤勉のなかで、いつも奥深い談笑を絶やさない人でもありました。後を引き継いだ田村富昭さんを通じての交流はソレリ没後も続きましたが、ソレリの実践は私にとってガウディの仕事と同じように大きな励みになっています。彼は越後妻有について次のように述べています。

蛇はどんどんと中から成長を続けていき、成長が進むと脱皮をします。しかし皮を一枚脱ぎ去っても、生き物としてこの動物が持っていた本質自体は変わりません。それと同じように妻有が内部にもっている力、才能を自ら掘り起こし、内部の力をきちんと活用し、その成長にともなって用をなさなくなってしまったもの、もろくなってしまったものを脱ぎ捨て、脱皮していくべきであると思います。また、中世のヨーロッパなどでつくられた大聖堂は、中世の街なかにつくられた時には、それまでに出来上がっていた街の状況に対して、非常に大きな揺さぶりをかけるトラウマとして存在しましたが、同時に、外部から色々なものを引き付けていく磁石のような役割も果たしていきました。外から出たもの、異質なるものを受け入れて、引き付けていくのと同時に、従来のものに対してこれを変化させていった。「蛇」と「大聖堂」という二つのメタファーは、妻有の今後のあり方を示唆するのではないかと思います。（『大地の芸

ソレリベル
アーコサンティでは、溶融銅の鐘鋳造事業が行われており、製造されたベルはアーコサンティの財源となっている。

ダンス・ウィズ・ウルブズ
一九九〇年公開のアメリカ映画。監督・主演・製作をケビン・コスナーが務めた作品でアカデミー賞を受賞。南北戦争時代のフロンティアを舞台に、白人と先住民の交流を描いた西部劇。

術祭 越後妻有アートトリエンナーレ2000記録集』より引用）

このソレリの夢のうち、いくばくかの田園都市構想を旧川西町で発芽させたいと私は考えたのです（107頁参照）。

キドラット・タヒミック

タヒミックはファーレ立川に参加してくれたフィリピンのロベルト・G・ヴィラヌエヴァ*とのつながりでした。ヴィラヌエヴァは修道僧のような趣のあるアーティストで、心身ともに宇宙の優しさに包まれているような人でした。その遺言のような提案「地球に鍼をうつ」という構想を、新潟で行うことになった一九九五年に彼は亡くなってしまいましたが、実施設計を手がけ、作品を制作し、完成した時に、キドラット（稲妻の意）は仲間たちとやってきて、その林立する鍼がつくる癒しの空間で踊りを捧げて悼み、祈ってくれたのです。私もその一員となって以来の交流がつづいていました。タヒミックはフィリピンの名家の出で、パリの経済協力開発機構（OECD）の研究員を務めていたこともある人物ですが、その指針を変え、映画づくりをするようになりました。『僕は怒れる黄色』という作品で、一九八九年の第一回山形国際ドキュメンタリー映画祭に出品し、大江健三郎もほめています。彼はフィリピンの世界農業遺産にもなった高地のイフガオ*という民族のなかで生活しながら映画を撮っているのです。

大地の芸術祭で、彼は十日町エリアの下条にフィリピンのイフガオの集落のような世界を持ってき

ロベルト・G・ヴィラヌエヴァ
（一九四七～一九九五）フィリピンの彫刻家。フィリピン土着の文化と深いつながりを持つ作家。日本ではファーレ立川にて作品を手がけた。

イフガオ
フィリピンのルソン島北部のコルディリエラ山脈に居住する少数民族。山岳農耕民で、山腹に石垣を組んで棚田をつくり水稲耕作を行って暮らしている。

ました。タヒミックは一〇人を超えるイフガオの人たちを連れて越後妻有にやってきたのです。それは下条地区にとってはひとつの事件ともいえる出来事で、下条の人たちはイフガオの人たちと親しくなり、その後、下条の人たちがイフガオを訪ねるという交流が続いたほどです。

タヒミックは地球環境セミナーでシャーマンについて話しました。自然と人間、その生活をつなぐものでした。二〇〇九年のプロジェクト《戦後のラブレター（イフガオの棚田から新潟の棚田へ、愛をこめて）》の時に彼が送ってきた手紙は、かつてフィリピンにまで進出した日本軍の子孫である私たちを撃ち、しっかりと生きることを促すものでした。

この時、地域環境セミナーに参加した多くの人が、田舎こそが今後多くの可能性を持つだろうと述べ、特にフランスからのフランソワ・エルスが「媒介者（メディアトール）」という働きに注目しています。今までとかく享受者としての立場のみだった市民が主体になり、消費するだけでなく生み出す側に回れるというのです。当時フランスの文化省では、地域からも独立し、行政からも独立した実践的な美術理解者が指名され、地域の課題のなかでどんなアーティスト（建築家など）が良い役割を果たせるかという実践的な試みが始まっていましたが、それを踏まえての発言でした。

▷キドラット・タヒミック《戦後のラブレター（イフガオの棚田から新潟の棚田へ、愛をこめて）》[09]

須山《すやま》の森

キョロロの裏山に広葉樹林の広がる須山の森があり、「キョロロの森」という散歩コースがあります。ここで私はふくろうが飛び立つのを見ました。空を覆うような大きな翼で、その迫力は今まで見たこともありませんでした。里山の原形ともいえるこの森では、ジェニー・ホルツァーに作品を頼みました。彼女は一〇二個の石に文字を彫り、それをたどることによって、文明について里山で考えるという仕掛け《ネイチャーウォーク》〔03〕を考えました。例えば、このようなテキストが石に刻まれ、森を歩く来訪者を誘導するのです。

I SMELL YOU ON MY CLOTHES
WHO LIVED IN THE WOODS

ホルツァーとはノルウェーのオスロでお会いしました。オスロには夜到着し、一泊して朝出発の行程でした。ホルツァーに松之山での仕事を依頼したあと、真夜中に「フラム号博物館*」の外観を見に

行ったことを覚えています。これとはシチュエーションが少し違いますが、夜中に一瞬通り過ぎる闇の中で眼の裏に感ずる建築物に興奮することがありました。フランスからドイツに向かって車で移動中に見たすごいものは、後に調べるとギュスターヴ・エッフェルによって鉄でつくられたボルドー＝サン＝ジャン駅でしたし、夜中の広島で感じた建物も、後に村野藤吾の手がけたカトリック教会だったことがわかりました。夜半の能登半島で感じたのは珠洲の能登瓦でできた街並みでした。優れた建物には、夜中であっても、その風格が発する何かがあるようです。

森の科学館キョロロの周りには川俣正の作品《松之山プロジェクト》［00］の名残がたくさんあります。キョロロへの道の途中に屋台や、はせ木*を使った木道など、集落も含んだ形で里山の景観をつくってくれました。キョロロの駐車場の広い空間には、楕円状に枕木が埋め込まれていて味があります。裏山には見晴らしの良い川俣さんらしい塔がありますが、これらはみんな二〇〇三年のキョロロ誕生の折にできたもので、現在は木がやせ細り、朽ちて消滅寸前です。制作当時の地元農民の手際の良さに驚いたと川俣さんは語っていましたが、川俣さん自身も多くのスタッフとともに猛烈な勢いで大がかりな工作物をつくってしまいます。その仕事ぶりは作品の出来とともに一見の価値があり、川俣さんと仕事をした人の中から良いアーティストがたくさん生まれているのも納得できます。

川俣さんとは一九八四年からつきあいがあります。ある日の夕方、突然川俣さんから電話がありました。工事現場のような板張りの作品をつくる作家だということは知っていましたが、とにかく会い

▷ジェニー・ホルツァー《ネイチャーウォーク》［03］

フラム号博物館
ノルウェーのオスロにある、ナンセンの北極探検に使われた探査船「フラム号」が公開されている博物館。

はせ木
稲を刈り取ったあと、脱穀までのあいだ乾燥させる方法のひとつを架干（はさぼ）しといい、木材や竹などでつくった「はせ木」という構造物の上に稲をかけて干す。稲架掛けは、米どころである新潟県特有のもので、その景観は、新潟の秋の風物詩ともいわれる。

ヒルサイドテラス
代官山にある集合住宅、店舗、オフィスなどからなる複合施設。一九六九年竣工。建築家の槇文彦氏が手がけた代表作の一つ。アートフロントギャラリーも一九八四年より入居。

たいと言います。「今日ならいいよ」と言うと二時間後にリュックいっぱいと、手にたくさん資料を持って現れました。「一緒に仕事をしたい」とのことで、これがヒルサイドテラス全体*を使った作品《工事中》[84]となりましたが、ヒルサイドのテナントは客が入らないため困惑するし、オーナーの朝倉さんも大変でした。写真週刊誌『フォーカス』にも取り上げられるほどでした。川俣さんは、都市の隙間に異物を挟み込んで都市の構造を明らかにする、あるいは都市の中に隠れているモノや時間を浮き立たせるいくつかの作品を別の場所につくって、その呼応関係を明らかにしていきます。川俣さんを知ることによって私のサイトスペシフィックなプロジェクトの作法は、多くの影響を受けているように思いますし、実際ファーレ立川や瀬戸内国際芸術祭、北アルプス国際芸術祭にも参加していただいています。クリストの日本での《アンブレラプロジェクト》に関わって以来、クリストとは深く関わりましたが、クリストからもその現実風景に関わる構想力、緻密さ、辛抱強さにも多くの影響を受けています。川俣さんは、越後妻有でも現在、松代の旧清水小学校の《妻有アーカイブセンター》[22]で、アトリエを構えてプロジェクトを進めています。また、スイスのチューリッヒでは、私に外国の美術的社会を知らせて下さり、かつアートフロント・チューリッヒを開いて日本のアーティストを紹介して下さったフグラー美和子さんの縁で、川俣さんが川の中にプール《フラウエンバット》[93]もつくっています。いずれも材料は木材で、時間をかけて発展させていくプロジェクトが特徴的な川俣さんのことですから、いつかキョロロでも何か新しく付加されるのでしょうか？　楽しみです。

子どもたちとともにつくった彫刻 《星の誕生》

池内了さんが松之山に来られた時、次のように述べていました。「役所は古いままなのに学校はちゃんとつくってある。その心意気に感銘を受けた。」実際、舟越直木の作品《星の誕生》[03]がある、小中一貫校のまつのやま学園（旧松之山小学校）では、地域外の子どもの就学も受け入れる「雪里留学」という制度を実施するほど今でも教育に熱心な学校です。この学校の校庭に降りる傾斜地で、舟越さんはこの地と宇宙をつなぐ作品を子どもたちとつくりました。

舟越さんの父君は現代日本肖像彫刻の精華ともいうべき、《長崎二十六殉教者記念像》の作者・舟越保武さんです。これは一五八七年に豊臣秀吉のキリシタン禁令により、堺から長崎まで手枷足枷され、裸足で歩いた末に磔刑された外国人・子どもを含む二六人と、原爆が投下された長崎という事実を、具象化し二重映しにしたものです。これは時代に通底した共有の意味を持つ作品とも言えます。その父君と、またその彫刻という作品をつくることが困難な時代に、独特な木彫刻の世界を切り拓いた舟越桂を兄に持つ、まさにアーティスト・アーティストともいえる作家でした。何度か事務所に来られて打ち合わせをしましたが、そのたびごとにトイレに入ると出てこられなくなる。鍵をあまりに強く

▷舟越直木《星の誕生》[03]

坂口安吾
一九〇六年～一九五五年。第二次世界大戦前から戦後にかけて活躍した、近現代日本文学を代表する小説家のひとり。姉セキが嫁いだ松之山を度々訪れており、『黒谷村』『逃げたい心』など松之山を舞台にした作品がある。

締めるので壊れてしまうのです。それほど彼はひとつひとつの作業に文字通り全力であたります。二〇二二年に氏の追悼メモリアル展をモネで行いました。そこでは彼のデッサンも展示しましたが、そのすごさといったらない。二次元の中に、ものの芯がしっかりとあるデッサンです。それはかたちや色ではない、物質としての魅力なのです。

この旧松之山小学校の校庭横には、若き日の坂口安吾*が姉の嫁ぎ先である村山家（現在の大棟山美術博物館）に、寂しくなるとやってきた時の記念碑があります。松之山とは、かようにさまざまな時代の断片が集落にあるという町なのです。

生の断片を垣間見る

《最後の教室》

東川《ひがしかわ》・上鰕池《かみえびいけ》・下鰕池《しもえびいけ》・中尾《なかお》

《最後の教室》は県道三五八号から入った場所、旧東川小学校の校舎と体育館を使用して二〇〇六年に設置されました。ゲートボール場として使われていたこともあって、この

校庭では、第一回展に《岡部昌生フロッタージュ・コラボレーション・松之山プロジェクト「風のサブロウサマに会えるか」》［00］、第四回展にはEARTHSCAPEの《ＭＨＣＰ（メディカルハーブマン・カフェ・プロジェクト）》［09］が行われました。クリスチャン・ボルタンスキーは、現在使われている入口とは逆の、かつて子どもたちが使用していた玄関口から入って校舎棟を巡る《夏の旅》［03］を見せてくれました。

二〇〇六年の冬二月。越後妻有の雪を知りたいとのことで、積雪の最盛期に舞台照明家のジャン・カルマンとやってきました。ボルタンスキーはそこにある普通の材料を使います。藁、雪囲いの板、首振り扇風機、裸電球、学校に掲げられている額縁入り肖像画、名札等々。その配置の名人芸が、ボルタンスキーの作品の真骨頂です。実際、体育館の床に膨大な藁を何度も敷いたり撤去したりを繰り返し、肖像画は具体的な校長先生の写真が入るのではなく、額縁だけになりました。通学生の生徒の名札も用意したのですが、作品として使用せず、最終的には個別性をなくすことになったのです。

一階入口から入った暗い空間は、粉雪舞い散るなかにある一軒一軒がひそやかに耐え生きる越後妻有の冬のような感じ、二階は、そのなかで生き、死んで雪に抱かれ眠る者たちの祈りの世界です。心臓の音が聞こえる理科室の瞬きは人間の一瞬の激しい生を表しているかのようで、それに対し、三階はそれらの人々の生の断片のようにも感じられます。それらをさかのぼって入口に戻り、資料室の上に上がると、人々の一瞬の生が踊っているかのような作品《影の劇場～愉快なゆうれい達～》［18］が、

▷クリスチャン・ボルタンスキー＋ジャン・カルマン《最後の教室》［06］

▷クリスチャン・ボルタンスキー＋ジャン・カルマン《夏の旅》［03］

覗き窓から見える仕掛けになっています。入口ではボルタンスキーの資料と並んで旧東川小学校の歴史を知ることができます。一八七四年設立、最大児童数三八七人（一九四六年）で、一九九七年閉校。一人ひとりの生への敬意がこもっているようです。

二〇二二年九月一〇日、一一日にボルタンスキーの「不在」を問いかける、この空間で行われた森山未來の踊り《The Pure Present》[22]は、森山さんの踊りの修練によって生まれた、生活、自然、宇宙へとつながるパースペクティブのなかに人間がいることを感じさせる名舞台でした。

《上鰕池名画館》

《最後の教室》から津南に向かう途中の対岸に、上鰕池という集落があり、赤い美しい橋（宝橋）が架かっています。かつては川の下流まで降りていってこちら側に渡るという、いわば独立した集落だった場所でユートピアのような趣きすらあるところです。ここでは、二〇〇九年に、大成哲雄／竹内美紀子が、集落の人を名画に登場させるという《上鰕池名画館》という作品を手がけました。《最後の晩餐》やムンクの《叫び》、ミレーの《落穂拾い》が上鰕池を舞台にその住民がモデルで描かれているのです。とても楽しいものでした。小林民男さんはこの美しい橋の上でムンクの《叫び》を演じたのでした。

▷大成哲雄／竹内美紀子《上鰕池名画館》[09]

塩田千春《家の記憶》[09]

《家の記憶》

《最後の教室》のある東川から近い、下鰕池という集落の家にやってきたのは塩田千春さんです。クモの女王のように、四万四〇〇〇メートルの黒い糸を、神がかったようにうち伸ばし張るという作品《家の記憶》［09］をつくってくれました。これは誰もが見て驚いた名人芸です。家の記憶となるような下駄、蓑などにも糸が張り巡らされ、作品開館の当番を集落の皆さんがやりたがる人気スポットにしてくれたのです。塩田さんの作品を初めて拝見したのは、第一回の横浜トリエンナーレの時ではなかったかしらん。以来、氏の作品はできるだけ見たいと思いましたし、対談をすることもありました。瀬戸内や奥能登でも参加をお願いしましたが、いずれの時も豊かに、凝縮したテンションを空間全体に張ってくれました。

《最後の教室》から下鰕池集落とは反対の道を進むと、松之山温泉に抜けるなだらかな棚田のある峠を越える道の途中で中尾集落にたどり着きます。古典落語に、狂言「鏡男」と似た「松山鏡*」という話があります。その舞台となる池が、この中尾の十二神社の横にあり、その一帯に二〇一二年、礒﨑真理子が陶器による美しい作品群《Flowers（2012）「We are here!」》を設置しています。

二〇一一年の長野県北部地震で越後妻有も大きな被害を受けましたが、そのあと沖縄自由学校の川端美和子さんがやってきて、中尾や湯山《ゆやま》を舞台に越後妻有の子どもたちと沖縄の子どもたちをつなげる活動を続けてくれました。自力でお金を集め、親の理解を得て、子どもたちをまとめるという、およそ気の遠くなる営為です。こうした活動を続ける人たちが、日本中、世界中に多くおられま

松山鏡
松之山の中尾地区にある鏡ヶ池を舞台とした「松山鏡」という伝説がある。この伝説が、落語の古典落語の演目の「松山鏡」の起源となったという説がある。

す。二〇一九年に銃撃で亡くなった中村哲さんや、国境なき医師団もそうですが、あらゆる分野にさまざまな場面で無私と言わざるを得ない人たちが活動しておられます。おそらくその数が八〇万人か八〇〇万人おられる。それは地域人口の〇・〇一パーセントか、〇・〇〇一パーセントでしょう。これは私の〈類〉についての考え方なのですが、私たちのなかにあるささやかな思いが、類としては数多く積み重なり、大きな量になると信じて私たちは動いているのです。

湯本《ゆもと》 温泉郷

建築グループＣＬＩＰ（松永英伸、棚橋国年彦、設楽壮一）の松永英伸は寡黙な青年でした。ＭＶＲＤＶのまつだい「農舞台」の実施設計監理もやってくれましたし、松代城山の道《遊歩道整備計画》［00］、ミオン中里のトイレ《河岸の燈籠》［00］も彼らの仕事です。松之山温泉郷の入口の、普段駐車場になっているところにレールによる移動トイレとサインをつくり、盆踊りもできるスペースを用意したのです。松永さんの父君が静岡で寿司屋をやっているというので、食べに行ったことがありますが、この

▷ＣＬＩＰ《峡谷の燈籠》［03］

親にしてこの子ありといったもので敬意を持ちました。ちょうどこの原稿を書いている時にＮＨＫ「８Ｋヨーロッパトラムの旅」をやっていましたが、欧州の街並みが良いのは建築が街に調和しつつ、その内部に確かな工房、しっかりした商業があるからだとつくづく思います。店の看板ひとつひとつにこだわりと愛情があるのです。個の技術から生まれるものが、コミュニティから生まれにくい現在、少なくともそれらが許容される都市計画、建築がほしいと思うのです。そういったものをＣＬＩＰは手がけてくれます。

　このＣＬＩＰの舞台の道路の向かいに設置されたのが、笠原由起子／宮森はるなの《メタモルフォーゼ―場の記憶―「松之山の植生を探る」》［00］で、松之山の植物の石膏レリーフです。同様の作品《メタモルフォーゼ―場の記憶―松之山―》［03］が「森の学校」キョロロの旧食堂室にもありますが、それらの植物を土に移したものが映像《植物記―植物をめぐる百の冒険―》になって、二〇二二年はモネシアターで上映されました。

　この温泉郷は、もともと上杉謙信の隠し湯といわれていて、日本三大薬湯のひとつであり、薬効が高いことで知られています。特に皮膚病には効果があり、私はその例を目の当たりにしていますが、暴飲のあとは要注意。古い湯治場だけあって、高級旅館や、昭和一三年につくられた凌雲閣のような三階建ての立派な旅館もあるし、仲間たちと自炊しながら何日もかけてゆっくりするという、この地域での収穫後の楽しみ方を堪能できる宿もギリギリ残っています。ジャズを聴きながらうまい蕎麦を食べられるお店もありますし、この地域には、野外につくられた「山の上の能楽堂」があり、二〇一三年までは野村万作・萬斎親子を招いて狂言の公演が夏に行われていました。温泉脇には住宅

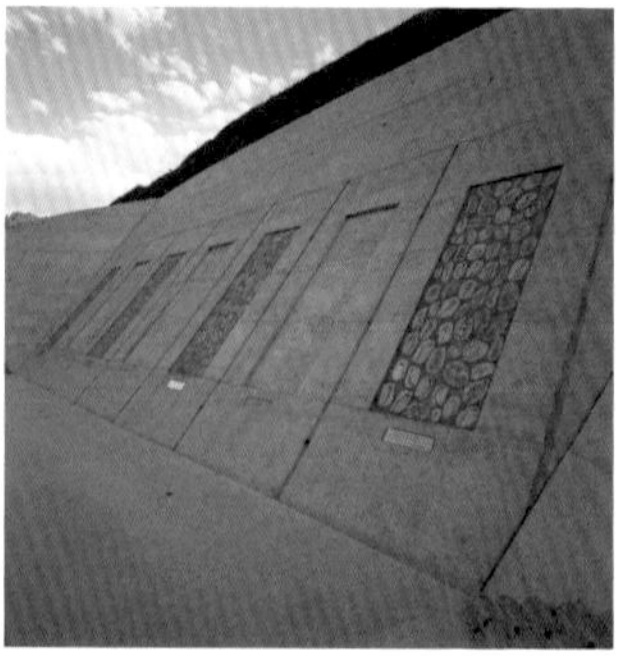

▷笠原由起子／宮森はるな《メタモルフォーゼ―場の記憶―「松之山の植生を探る」》［00］

地もありますし、工務店の裏には露天風呂もあり、「鷹の湯」という良い温泉もあります。私が幼い頃、父は農民運動で毎年松之山に行っていたことがありましたが、父もこの温泉に入っていたら良いなと思うのでした。

ここから《夢の家》［00］に向かう坂の途中に、サンティアゴ・シエラによる《ブラックシンボル》［18］があります。その上に上湯《うわゆ》という集落があります。

上湯

空き家プロジェクトの原点　《夢の家》

温泉郷から県道八〇号で大厳寺高原に向かう道と中尾集落から来た道が合流するあたりから入っていく急坂を登ったところに、上湯集落があります。ここにマリーナ・アブラモヴィッチの《夢の家》［00］があります。第一回展が始まる前の冬、マリーナは雪の中を視察して、この家を見つけました。家の女主人は東京のお子さんの家に移っていて、年に一回ほどは法事のため戻られていましたが、家主にとっては仏壇の一室さえ残っていればいいとの話でした。作品に活用されれば冬の除雪の心配も

▷マリーナ・アブラモヴィッチ《夢の家》［00］

なくなるし、逆に家を守れるからその方が良いくらいだ、とのことで、庭の手入れも併せてすることになりました。ありがたいことです。家主のために一室は確保したうえで、ここの二階に、マリーナは赤・青・緑・紫の寝室をつくり、客間はそのまま展示します。風呂場には新たに浴槽を入れ、薬湯にする等、立派な《夢の家》という宿泊施設ができました。マリーナは次のように言っています。

> 私が子どもだった頃、夢はとても大切なものだった。ときどき夢は、本当の現実よりもずっと鮮やかでリアルだった。総天然色の夢を見るのだ。夢を見ている夢、別の夢で目覚める夢も見た。飛ぶ夢も見た。行ったことのない場所を訪ねる夢も見た。目が覚めてから、あらゆるディテールを書きとめることができた。
> 母が死ぬ間際、私はそれも夢で知った。
> 祖母の台所は、いつも夢が語られる場所だった。そこで祖母は私に夢について説明してくれたものだ。
> 血の夢を見たら、すぐに良い報せが届くだろう。
> 汚い水を泳いでいたら、病気になる。
> 歯が抜ける夢を見たら、家族の誰かが死ぬだろう、などなど。
> 私たちの西洋社会では、人は夢に注意を向けることをやめてしまった。私たちは安眠できない。眠りを助けるために薬を飲む。そして夢をもう思い出すことができなくなった。
> だから私にとって、《夢の家》をつくることはとても重要なことだった。人々が夢を見るた

▷右＝インストラクションの部屋　左＝夢の部屋

めに訪れる場所。

プロジェクトは、「大地の芸術祭」のためにつくられた。だが、本当に信じられないことが起こったのだ。《夢の家》の集落の住民たちが、その家を自分たちのものとして受け入れ、その世話をし続け、《夢の家》が彼らのコミュニティーの一部となっていったのである。作品がアートというコンテクストから出て、現実の生活に入っていったのは、私にとって初めてのことだった。

私は、日本の民家の伝統的な造りをそのまま活かしたいと思い、家屋の目的と機能だけを変えることにした。それぞれの空間に、「インストラクションの部屋」「着替えの部屋」「清めの部屋」「台所」「夢の図書室」「夢の部屋Ⅰ、Ⅱ、Ⅲ、Ⅳ」「精霊の部屋」といった名前をつけ、磁石や鉱石を使ったオブジェや服を用いた。

《夢の家》を訪れた人は、互いに交流し、その家に泊まり、「夢の本」に夢を書きつけ、家を利用する際のさまざまな指示に従わなければならない。《夢の家》は、集落の人びとのみならず、この地を訪れるすべての人びとに開かれている。

これは私たちが継続してきた、文化的対話を生み出そうという試みのひとつであり、歩き、立ち、座り、横たわり、食べ、体を洗い、飲み、着、脱ぎ、眠り、夢を見、書き、考えるといった日常生活の単純な行為を儀式化することの必要性を再確認する試みでもある。《夢の家》はそのための場所として機能するだろう。（『マリーナ・アブラモヴィッチ 夢の本』より引用）

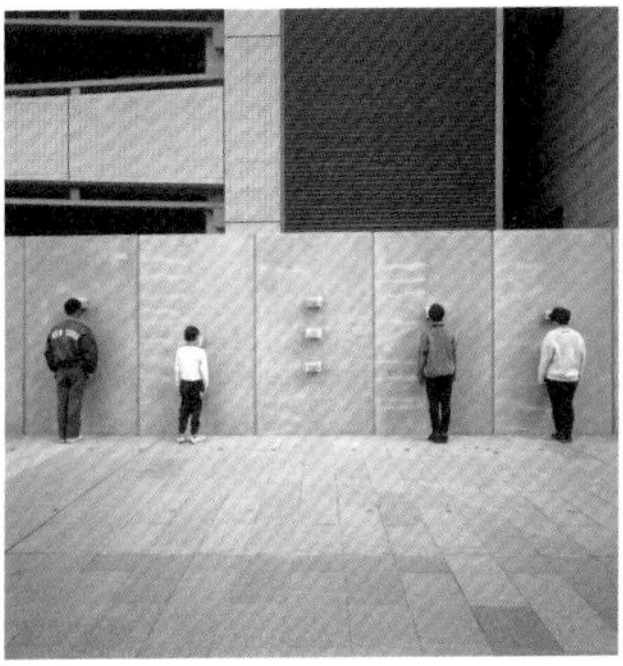

▷右＝清めの部屋　左＝マリーナ・アブラモヴィッチ《黒い竜―家族用》［94］

マリーナはファーレ立川で五人家族のための《黒い竜—家族用》をつくりました。高さ約二メートル、長さ約一メートルのL字型プレキャスト一五枚に手の指に比例する高さに合わせた三つのブラジル産水晶の凸起をつくり、人間の身体をあて、瞑想するというものです。彼女はずっと身体の体験、人間の活動をテーマにしてきた作家で、長さ二万キロメートル以上ある万里の長城の東西の端から、二人がそれぞれ歩いて中心で出会い、そのまま別れるというプロジェクト《恋人たち》を一九九八年にやりました。信じ合いながら中心で出会い、別れたのは当時のパートナー、ウレイでした。また、一九九七年のヴェネチア・ビエンナーレでは、四日間会場で牛の骨を磨き続けるという行為《バルカン・バロック》で、自分の祖国ユーゴスラヴィアでの戦争への思いをぶつけています。その時の心身のダメージを立て直すために来日した際のお世話もさせていただきました。彼女は、還暦を迎える日に六〇人ぐらいでダンスするという行事を開催しましたが、私はヨーロッパにいながらも踊れないので向かいませんでした。氏が何を考えて生きているのか、ずっと生きることを表現としてやってこられていたので切実に興味があります。

《夢の家》の隣にある、かつて蔵だった建物にはジャネット・ローレンスによる《エリクシール／不老不死の薬》[03]があります。松之山の植物を調査して、薬草のリキュールをつくるという作品です。ここはいわば科学者の研究室です。私がこの場にいたある日、ほろ酔い気分の二人組が、何をどう聞いてきたのか、下の温泉郷から登ってきて、作品のリキュールを「一杯飲ませてくれ」を言ってきたのには面食らいました。酒好きはすごいと改めて思ったものです。この上湯集落では空家の一・二階にオーストラリアの女性作家、ローレン・バーコヴィッツ（《収穫の家》[03]）と、ロビン・バッケン（《米

▷ジャネット・ローレンス《エリクシール／不老不死の薬》[03]

との対話》[03]）も展示をしてくれました。

湯山

新潟の作家たち

《ギャラリー湯山》

二〇二四年にはアイシャ・エルクメンの建物を囲む作品ができる予定の《ギャラリー湯山》は、二〇一二年から二〇二三年の一一月まで、「雪アート・新潟ユニット」としても活動している前山忠が中心になって運営してきたギャラリーです。新潟県高田市には一九四九年から一九八二年まで新潟大学芸能科があり、そこでは美術、音楽、工芸、書道、体育があり優れた先生もいて、全国でも珍しい教育をやっていました。ここの卒業生である前山忠や堀川紀夫らが新潟現代美術家集団GUNを組織し、日本の美術界に大切な一石を投じていたし、前山さんを中心とした活動は新潟県の美術の底辺を広げてきました。三三回にわたる展覧会は貴重なものでした。コロナ禍には世界のアーティストに声をかけて、約四〇〇人に及ぶ作家から九〇〇点あまりのメールアートが送られてきて、世界の同時性がわかったりもしました。《ギャラリー湯山》という場所はとりあえずなくなりますが、今後に期待しています。

▷《ギャラリー湯山》[12]

天水越《あまみずこし》・大厳寺《だいごんじ》

実現しなくてもわくわくするアート

松之山温泉郷から凌雲閣を通り、松之山スキー場を左に見て、坂道を上がっていくと、左手に山本健史が焼物でしっかりとつくった《掃天帯土《そうてんたいち》―天水越の塔―》［09］があります。棚田を横目にさらに坂道を登り、森の中を折れ曲がった道を進むと、大厳寺高原にいたります。

その道中で見える棚田は、第一回展の時に逢坂卓郎が《LUNAR PROJECT―月光を捕えるプロジェクト》［00］という、棚田に一八個のステンレスの反射鏡を設置して一八枚の田んぼに月を映し、月食の夜にその移り変わりを見るという壮大なプロジェクトをやった場所です。遠くからも来客がたくさんあり、昔の祭事はかくやあらんと思わせるほど、松之山の住民も総出で食べ物を持参して、まるでピクニックのようにわくわくしながらその瞬間を待っていました。が、月食の観察は上手くいきませんでした。それでも皆さんはその上手くいかないプロセスをも楽しんだようで、ああだこうだと言いながら散会していきました。これと似た体験がかつてありました。八五年ぶりの皆既日食があり、《光の館》のジェームズ・タレルがイングランドのコンウォールでそれを見るプロジェクト《Sky Space》［99］を計画した時、私もロンドンまで飛び一泊して朝早く、ハイ・ウィカムから現地にヘリコプターで行きました。そこには太陽の軌道に沿ったスリットが切り込まれた天井のある建物がつくられていて、客はそこから日食を眺めるというものです。あたり一帯の芝生には飲み、食べ、遊び、話をする人々がピクニックのように集まっていました。しかしこのプロジェクトも雲がかかり、失敗してしまいま

▷山本健史《掃天帯土―天水越の塔―》［09］

◁逢坂卓郎《LUNAR PROJECT―月光を捕えるプロジェクト》［00］

した。落胆はしましたが、不満の声はあがりません。どれだけ万全の準備をしても天候・自然はどうなるものではない、その万全な準備こそが大切なのだと皆さんはよく理解しているのだと思いました。その一時間弱はとても貴重な体験でした。しかしその後どう日本に帰ってきたのか、今は思い出せません。その時、私は美術というものが少しはわかったような気がしたものです。

二〇〇三年には、アメリカ在住のキューバ生まれのマリア・マグダレーナ・カンポス＝ポンスが、松之山に伝わる「管領塚*」に感銘を受け、自身の移民の体験と重なるバナー《連想のフィールド》［03］をこの棚田に立てています。

天水越からさらに坂を登った先に大厳寺高原があります。この高原はコテージと牛の放牧場に囲まれた場所で、中心にある管理棟と食堂、宿泊施設やため池、かつてはテニスコートもあったのびやかな場所です。夏には貯蔵しておいた雪を使って、すべり台や雪遊びもできます。何よりも小動物や鳥や昆虫の宝庫

です。今はスノーピーク監修のキャンプ場となっていますが、私もここの一棟建てコテージで至福の時間を何回も過ごしました。ここには今も眞板雅文、植松奎二、堀川紀夫、ケンデル・ギール、ジミー・ダーハムの作品があります。

池を囲む丘陵地には一本のブナの木を囲むサークル状の構造物と、そこに入っていく二本の門柱のようなものが設えられ、それが蔦や植物によって覆われていくというのが眞板雅文の作品《悠久のいとなみ—The Eternal》[00]です。植松奎二は、三つの巨大な石があたかも古代からすでにそこにあったかのような作品《大地とともに—記憶の風景》[00]をつくりました。植松さんは材料とかたちと色という彫刻の基本要素の組み替えによって作品をつくる作家です。

今は見ることができませんが、村岡三郎が三角屋根に覆われた地下の貯蔵所のような作品《SALT》[00]を斜面につくり、そこに約一七トンもの塩を蓄えました。とても迫力がある作品で、この内部に設置したスピーカーが十日町の音をつなげるという仕組みもありました。作品は残念無念、撤去せざるを得なかった。その横の畑には、第二回展のプレイベントとして、十日町妻有大橋の河川敷で行われた中川幸夫の《天空散華・妻有に乱舞するチューリップ—花狂—》*[02]をやった時に残ったチューリップの球根を埋めました。雨の中行われたパフォーマンスのあと、私たちは冷たい雨のなかでずぶ濡れになりながら、一〇万株のチューリップの球根を埋めたのでした。

また、オーストラリアのアボリジニのフィオナ・フォーリーは、大厳寺高原の池を使ったプロジェクト《達磨の目》[00]を行いました。植物の葉をかたどった金・銀一一〇〇枚の杉板と二艘のボートが浮かべられたのです。松之山の空の下、何か叙情的な水際の風景がそこに出現したのですが、そ

管領塚
越後守護上杉房能の自刃の跡地に建てられた碑。上杉房能は、守護代であった長尾為景（上杉謙信の父）に追われて松之山に落ち延び、逃げ道を探そうと天水越の山頂に登って見渡したが、信濃川の石ころを敵の大軍と見誤り、逃げきれぬと観念して自刃したとされる。

《天空散華・妻有に乱舞するチューリップ—花狂—》
信濃川の河川敷を舞台に、一〇〇万枚のチューリップの花びらをヘリコプターで上空から撒き、花びらが舞い落ちる中で舞踏家・大野一雄が踊るというパフォーマンス作品。

月の沙漠
（詩・加藤まさを、曲・佐々木すぐる）月夜の砂漠をラクダに乗った王子様とお姫様が旅する情景を描写した作品。

◁中川幸夫《天空散華・妻有に乱舞するチューリップ—花狂—》[02]

れはあたかも童謡「月の砂漠＊」の金と銀の鞍を乗せた男女二人の茫漠とした道行のようにも見えたのです。

牛の放牧場には、クー・ジュンガがおもちゃのような可愛い家《パンドラズホープ（B・Lに捧ぐ）》〔00〕を一〇軒セットしましたが、これもお伽話のような牧歌的な風景となりました。その他、ジェイソン・ドッジがテニスコートの横に馬術競技で使用される木の工作物《服についてのラブソングを思い浮かべる—今、一年で一番長い日、それがきみだとわかった》〔00〕をつくりました。

そこから少し離れたところにあるコテージの裏の方では、南アフリカのケンデル・ギールが高さのある直方体の構造物《分岐点だらけの庭》〔00〕をつくりました。「アパルトヘイト否《ノン》！ 国際美術展」（38頁参照）という、アパルトヘイトへの反対を表明した、八〇人を超える世界各国のアーティストの作品を国連から引き取り、次の韓国展までの約一年半、日本国内を巡回するというプロジェクトを手がけたことがありますが、ケンデル・ギールとはそのときの縁もあってお願いしたのです。住む場所を隔離されるというアパルトヘイトを意識したものかもしれません。アフリカ人居留地を

①

②

③

④

⑤

⑥

思わせる檻のように感じられないこともない作品でした。いずれ蔦に覆われていくというコンセプトの作品でしたが、数年前から、ようやくこの金網に蔦が生えだしました。

ジミー・ダーハムとはどこかで深い共感があったように思います。度々お話しする一九九四年のファーレ立川のプロジェクトにチェロキーインディアン出身の彼をお呼びしました。サンダル履きと開襟シャツを着て、街なかをひょうひょうと歩き、たまに腰かけてずっと黙考している姿は印象深いものでした。ファーレ立川の現場を見て、他の人が選ばないようなビルのデッドスペースに作品を置くと決め、多摩川に行って石を拾ってきて、《ガラガラヘビ星と七つの方位》という星と方位を表す作品をつくりました。それは彼の出身であるチェロキーインディアンの場所を認識するための方法のようです。若くして軍隊に徴兵され、そこから国家や民族、あるいは世界について考えるようになったそうで、その後はジャーナリストとなり、世界を移動しながら、彼はその場での活動の痕跡をそれぞれの場所に遺していきました。そこらに何気なくあるものを使いながらも、私たちに立ち止まって考えるように促す作品をつくる作家です。大厳寺高原では、旅人が暮らした跡《◬》[00]という作品を遺しました。ジミーは星座と植物を目印に世界中を旅していました。ファーレ立川の作品も、松之山の大厳寺高原の奥の作品も、彼のしゃがみこんだ跡だったのだと思います。

▷①クー・ジュンガ《パンドラズホープ（B・Lに捧ぐ）》[00]②ジミー・ダーハム《◬》[00]③フィオナ・フォーリー《達磨の目》[00]④植松奎二《大地とともに—記憶の風景》[00]⑤眞板雅文《悠久のいとなみ—The Eternal》[00]⑥ケンデル・ギール《分岐点だらけの庭》[00]

▷ジミー・ダーハム《ガラガラヘビ星と7つの方位》[94]（ファーレ立川）

二〇年前に一度、珍しくジミーから声をかけてもらったことがあります。北極に行こうというのです。その頃から私は一週間を超える旅行は不可能でした。家族・私有財産・国家の重さというものが、私にとって幼い頃からの課題でしたが、チームでの仕事というのがそれに加わっていった時代でした。ロードムービーを撮ることは憧れでしたが、それは永遠の願望となりました。芸術祭のような土地と結びついた仕事は軛《くびき》となり、なかなか遠出をすることはできません。「南極ビエンナーレ」*をやるために、ロシアのアレクサンドル・ポノマリョフから二〇一五年頃南極に誘われましたが、これもボードメンバーにはなったものの現地に行くことは不可能でした。クリスチャン・ボルタンスキーとヴィト・アコンチも本音を話せる友人だと勝手に思っていますが、それは私が外国語ができないからでしょう。

浦田《うらだ》

国を超えた地域の交流

《オーストラリア・ハウス》

二〇〇九年に浦田の木造の空き家で始まったオーストラリア・ハウスは、二〇一一年の震災で全壊しました。その後オーストラリア政府が公開コンペ（委員長＝安藤忠雄、委員＝トム・ヘネガン、北川フラム）によって建築家を選んでできたものが現在ある建物で、条件は宿泊できる展示空間というものでした。

▷キュレーター＝アレクサンドル・ポノマリョフ《南極ビエンナーレ—フラム号2》[18]

南極ビエンナーレ
二〇一七年に第一回が開催された、史上初・南極を舞台にしたビエンナーレ。ロシアのアーティスト、アレクサンドル・ポノマリョフがコミッショナーを務めた。一三か国のアーティストや研究者が参加し、一二日間南極の島々を船で航海しながら作品を展開した。

アンドリュー・バーンズ・アーキテクトの設計で、造園は川口豊／内藤香織のユニットが担当しています。今までにSNUFF PUPPETS、エレナ・ノックスなどが滞在制作しています。二〇一八年にできたホセイン&アンジェラ・ヴァラマネシュの作品《ガーディアン》［18］が前庭に残っています。ここでオーストラリア・ハウス第一期となる第四回展からの作家を記しておきます。

二〇〇九年	**第四回展**　ルーシー・ブリーチ《口述の織維》 アレックス・リツカーラ《日本美術陳列室》、リチャード・トーマス《OIKOS》
二〇一〇年	大地の芸術祭の里参加作家：モード・バース、クリス・タグウェル JAAMプロジェクト（日豪学生交流レジデンス）： フィオナ・リー、ネリダ・アクランド、 マンディ・フランシス、アン・グラハム、福井ひとみ、千ケ崎慶一、下條紗恵子、 野田裕示、開発好明、北村 奈津子
二〇一一年	キム・アンダーソン
二〇一二年	ジェレミー・バッカー、ロス・クールター **第五回展**　アンドリュー・バーンズ、ブルック・アンドリュー、 アンドリュー・リワルド、ユランダ・ブレア

▷右＝アンドリュー・バーンズ・アーキテクト《オーストラリア・ハウス》［12］左＝ホセイン&アンジェラ・ヴァラマネシュ《ガーディアン》［18］

二〇一五年　**第六回展**　ハイディ・アクセルセン、ヒューゴ・モリーン、ネイサン・ホークス、SNUFF PUPPETS、アンディー・フリーア、ニック・ウィルソン、ステファーン・ヒズラー、ロズリンド・ホール
二〇一六年　ウェンディー・ティークル、マーヴィン・ストリート、ジョン・ナーグーダ、カーティス・テイラー
二〇一七年　リアム・マガバン、ジアーウェイ・チュー
二〇一八年　**第七回展**　ホセイン&アンジェラ・ヴァラマネシュ
二〇一九年　エレナ・ノックス
二〇二二年　**第八回展**　エレナ・ノックス

オーストラリアとの強い縁の理由のひとつに、オーストラリア大使館の広報文化部である徳仁美さんの存在があります。徳さんは第二回展の芸術祭のサポーターをしておられました。オーストラリアには、私は箏の沢井一恵さんらの音楽親善演奏チームの責任者として行って何か所かで公演したことがあり、もともと縁がありましたが、第一回の芸術祭を見たオーストラリア大使館の要請を受け、大使館側の担当者に徳さんが選ばれたのです。文化に力を入れる国の意向もあり、歴代の大使にすばらしい方もおられ、徳さんの誠実な働きがあってここまでつながってきたのだと思います。

特に印象深いオーストラリアとの関わりは、第二回展では開館したばかりの「森の学校」キョロロで、アボリジニ現代美術展「精霊たちのふるさと」を行ったことと、オーストラリア作家が集結した松之

△SNUFF PUPPETS《越後妻有の巨大パペッツ》[15]

山にて村祭のようなオーストラリアパーティーを開催したことが思い出されます。この時以来、大使は毎回のように大地の芸術祭を見に来られますし、豪日交流基金やオーストラリア・カウンシルが助成をして下さることからも、日本との交流、現代美術の充実に力を入れようとしているオーストラリアの意気込みがわかります。

オーストラリアはフェアリーペンギン、有袋動物など、動植物を含む土地の魅力とともに、約五万年前からこの地に住むアボリジニの生活、原始にさかのぼる記憶の伝承としての美術に私は興味があります。シドニー・オリンピックを契機に、多様性の尊重に舵を切り、二〇〇八年には「私たちは先住民族アボリジニを抑圧、虐待してきたことを謝罪する」とオーストラリア政府が宣言したことには意を強くしました。オーストラリアは今も瀬戸内国際芸術祭や他の芸術祭に意欲的に参加したり、私たちの関わる芸術祭に興味を持ちつづけてくれています。

国土の大きさはまるで違いますが、ともに南アフリカから移動してきたホモサピエンスがインドネシアから片や南に移動し、片やフィリピン・台湾へと北上した先祖が、大陸・列島でどう数万年の人類史を形成していったか、中南米の人類史を含めてとても興味があるところです。南北の違いこそあれ、アジアとアメリカ合衆国の狭間にあって、どう針路をとっていくのか、今でも私はオーストラリアに関心を持っています。

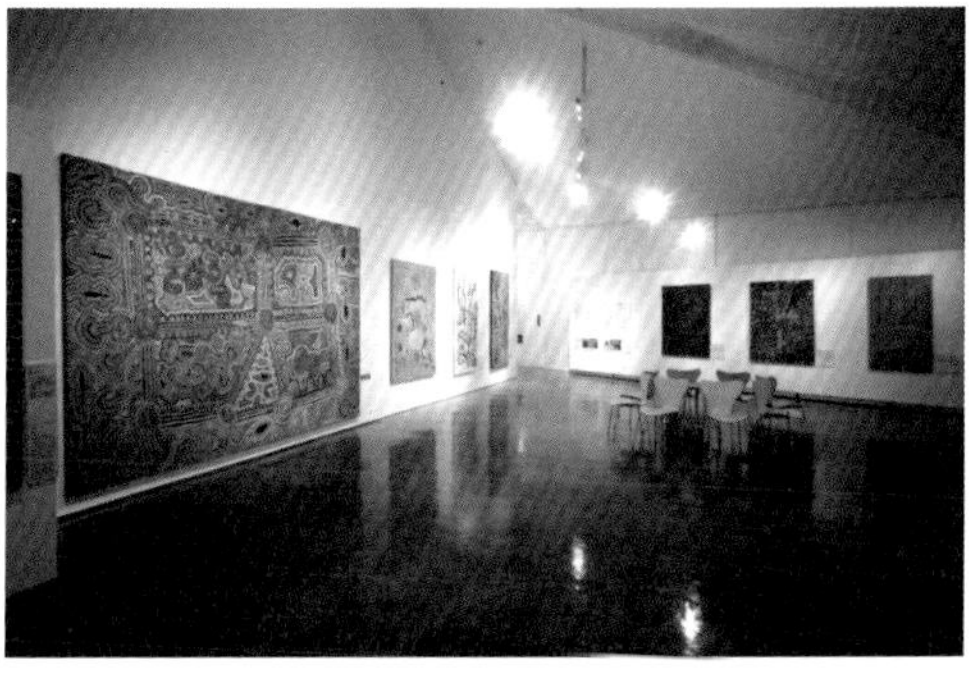

▷アボリジニ現代美術展「精霊たちのふるさと」［03］

7 松代

松代

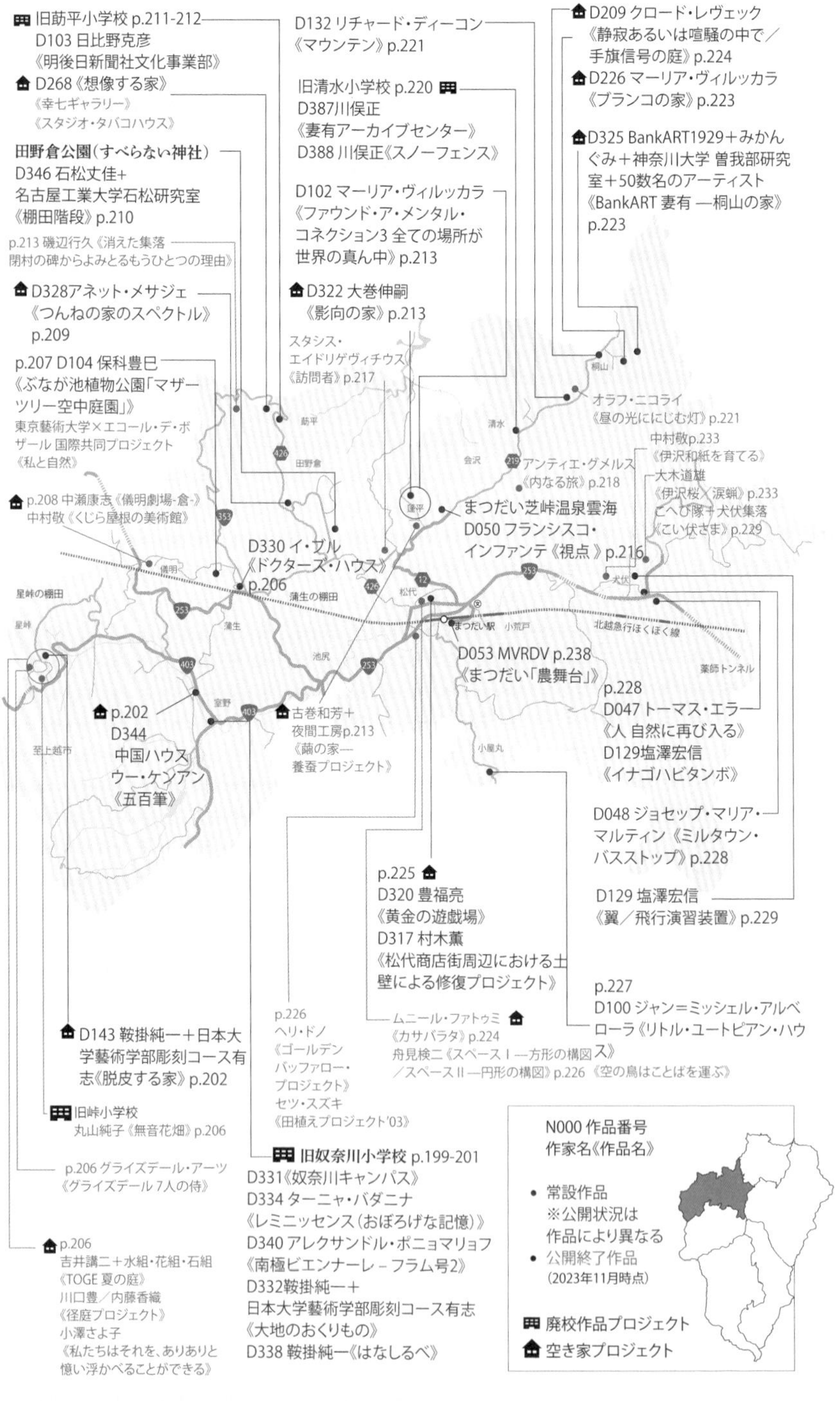

旧莇平小学校 p.211-212
D103 日比野克彦
《明後日新聞社文化事業部》
D268《想像する家》
《幸七ギャラリー》
《スタジオ・タバコハウス》
田野倉公園（すべらない神社）
D346 石松丈佳+
名古屋工業大学石松研究室
《棚田階段》p.210
p.213 磯辺行久《消えた集落
閉村の碑からよみとるもうひとつの理由》
D328アネット・メサジェ
《つんねの家のスペクトル》
p.209
p.207 D104 保科豊巳
《ぶなが池植物公園「マザー
ツリー空中庭園」》
東京藝術大学×エコール・デ・ボ
ザール 国際共同プロジェクト
《私と自然》
p.208 中瀬康志《儀明劇場-倉-》
中村敬《くじら屋根の美術館》
D132 リチャード・ディーコン
《マウンテン》p.221
旧清水小学校 p.220
D387川俣正
《妻有アーカイブセンター》
D388 川俣正《スノーフェンス》
D102 マーリア・ヴィルッカラ
《ファウンド・ア・メンタル・
コネクション3 全ての場所が
世界の真ん中》p.213
D322 大巻伸嗣
《影向の家》p.213
スタシス・
エイドリゲヴィチウス
《訪問者》p.217
D209 クロード・レヴェック
《静寂あるいは喧騒の中で／
手旗信号の庭》p.224
D226 マーリア・ヴィルッカラ
《ブランコの家》p.223
D325 BankART1929＋みかん
ぐみ＋神奈川大学 曽我部研究
室＋50数名のアーティスト
《BankART 妻有 —桐山の家》
p.223
桐山
オラフ・ニコライ
《昼の光ににじむ灯》p.221
中村敬p.233
《伊沢和紙を育てる》
大木道雄
《伊沢桜／涙蝋》p.233
こへび隊＋犬伏集落
《こい伏さま》p.229
莇平
清水
田野倉
会沢
アンティエ・グメルス
《内なる旅》p.218
蓬平
まつだい芝峠温泉雲海
D050 フランシスコ・
インファンテ《視点》p.216
D330 イ・ブル
《ドクターズ・ハウス》
p.206
儀明
星峠の棚田
星峠
蒲生の棚田
蒲生
松代
犬伏
まつだい駅
小荒戸
北越急行ほくほく線
薬師トンネル
池尻
D053 MVRDV p.238
《まつだい「農舞台」》
p.228
D047 トーマス・エラー
《人 自然に再び入る》
D129塩澤宏信
《イナゴハビタンボ》
p.202
D344
中国ハウス
ウー・ケンアン
《五百筆》
室野
古巻和芳＋
夜間工房p.213
《繭の家—
養蚕プロジェクト》
小屋丸
至上越市
D048 ジョセップ・マリア・
マルティン《ミルタウン・
バスストップ》p.228
D129 塩澤宏信
《翼／飛行演習装置》p.229
p.225
D320 豊福亮
《黄金の遊戯場》
D317 村木薫
《松代商店街周辺における土
壁による修復プロジェクト》
p.227
D100 ジャン＝ミッシェル・アルベ
ローラ《リトル・ユートピアン・ハウ
ス》
ムニール・ファトゥミ
《カサバラタ》p.224
舟見検二《スペースⅠ—方形の構図
／スペースⅡ—円形の構図》p.226《空の鳥はことばを運ぶ》
p.226
ヘリ・ドノ
《ゴールデン
バッファロー・
プロジェクト》
セツ・スズキ
《田植えプロジェクト'03》
D143 鞍掛純一＋日本大
学藝術学部彫刻コース有
志《脱皮する家》p.202
旧峠小学校
丸山純子《無音花畑》p.206
p.206 グライズデール・アーツ
《グライズデール 7人の侍》
p.206
吉井講二＋水組・花組・石組
《TOGE 夏の庭》
川口豊／内藤香織
《径庭プロジェクト》
小澤さよ子
《私たちはそれを、ありありと
憶い浮かべることができる》
旧奴奈川小学校 p.199-201
D331《奴奈川キャンパス》
D334 ターニャ・バダニナ
《レミニッセンス（おぼろげな記憶）》
D340 アレクサンドル・ポニョマリョフ
《南極ビエンナーレ – フラム号2》
D332鞍掛純一＋
日本大学藝術学部彫刻コース有志
《大地のおくりもの》
D338 鞍掛純一《はなしるべ》
N000 作品番号
作家名《作品名》
• 常設作品
※公開状況は
作品により異なる
• 公開終了作品
（2023年11月時点）
廃校作品プロジェクト
空き家プロジェクト

松代エリアには今も多くの作品があります。平成の大合併という、日本の市町村の大リストラ国策のもと、新潟県一一二市町村が一四地区に広域区分されることになりました。この地域統合施策として大地の芸術祭をはじめとした「ニューにいがた里創プラン」が進められた時、十日町市を中心とした中魚沼《なかうおぬま》郡の旧十日町市・川西町・津南町・中里村と東頸城《ひがしくびき》郡の松代町・松之山町の一市四町一村がひとつの広域として括られました。当時松代・松之山では、教育・福祉などは旧高田市を核とした上越市の管轄にありましたが、敷設決定から三五年もかかった北越急行ほくほく線の開通により、距離的に十日町が近くなったため十日町管区に移すという考えによるものです。六〇年以上も昔、この東頸城の二町と高田市の関わりは深く、ここから高田の高校に寄宿する高校生も多くあり、高田出身の私のまわりには女中さんになる少女、働いて夜学に行く少年がいたことを覚えています。幼い頃は泊りがけで松之山に仕事で行った父が「お土産」といって、竹の簀の子に入った、生きた鯉を持ってきてくれたことも覚えています。その頃、十日町は異界のように遠いところだったのです。

今になって思えばという話ですが、市町村合併に際した「ニューにいがた里創プラン」の話し合いの時、その一市四町一村から来ているメンバーの考え方、態度は個性の特質を超えて違っていました。津南は秋山郷を含む三自治体（津南町・松之山町・長野県栄村）での独立意識が強かったですし、松代・松之山は東頸城としての独自性がありながらも寡黙でした。それは政治的な革新性と鷹揚な受け身、耐える抵抗性といった違いに思えたものです。具体的なアートサイトの展開を決める段階で、当時の松代町長と職員に、その特質が十二分に発揮されたのです。それは「みんな松代で引き受けるよ」というようなものでした。第一回の芸術祭で、一〇〇作品ほどの展開をしたかった私の提案の半分ほどが松代エリアでの展開となり、多くの集落がアートサイトとして現在に引き継がれていくことになります。たとえば、まつだい駅そばの以前は田んぼだった平地には渋海《しぶみ》川の対岸にある松代城山の棚田を見るべく、イリヤ&エミリア・カバコフ《棚田》[00]のお立台が設置されました。それが、そのまま二〇〇三年に建てられた《まつだい「農舞台」》に組み入れられたわけで、今や芸術祭の重要拠点になっています。

「ニューにいがた里創プラン」の県の担当は建築が専門の渡辺斉さんでした。その無茶ぶりも役人としては異色でしたが、大地の芸術祭がとにかく出発できたのは氏の熱意があったからだと感謝しています。またその上司である地域政策課長の高橋豊さんも偉かった。今思えば「美術を媒介にして地域を創る」という二五年後の現在でも大変なプロジェクトをかたちにして政策として実現してくれたのです。今でも渡辺斉さんは地域に出没して案内などしてくれているし、高橋豊さんはNPOの副理事長としてその後も関わって下さいました。彼らをはじめ、県都新潟市の人たちとは今も深い関わりを持っています。当時新潟日報の編集委員だった篠田昭さん(のち新潟市長)は日報紙で応援して下さったし、今も二か月に一回の読書会をやっているメンバーの県職員の玉木有紀子さんはNPOと大地の芸術祭の広報の顔として活動してくれているし、中学校教員の荒川洋子さんはオーストラリア・ハウスの責任者、電気職人の田中寛さんは酒百宏一さんの《LIFE&works+みどりの部屋プロジェ

▷イリヤ・カバコフ《棚田》スケッチ[99]

◁ターニャ・バダニナ《レミニッセンス(おぼろげな記憶)》[15]

クト》［06］の助っ人、良寛研究者の本間明さんは毎回開幕と同時に全作品を巡り、その報告を挙げてくれる……等々です。

室野《むろの》

副教科の五感体験施設

《奴奈川《ぬながわ》キャンパス》

松之山の浦田から県道二四三号を北上すると、《奴奈川キャンパス》［15］にたどり着きます。ここは松代の室野地区にある旧奴奈川小学校で、二〇一五年に私たちが芸術祭の拠点として活用し始めた廃校です。校舎も体育館も立派ですし、厨房もしっかりしていて、今ではグラウンドに立派な芝もあります。何よりも室野は松代の中でも昔から芸術祭との縁が深いし、この学校ならワークショップ等もできる空間があります。《脱皮する家》［06］をベースに頑張ってくれている鞍掛純一さんもともに動いてくれるということで、この廃校の使い方を考え始めました。

大地の芸術祭はもともと「地域に元気を！　自然のすごさと、その自然の中で苦労しながらも生き抜く暮らしを讃え、誇りを持つ」という考えのもとに始まり、アーティストがその土地の特色を見つけ、関わるなかで生まれる作品を体験しようと考えられたものです。私は田舎での自然を地盤とした生と死の一回性と、それゆえの厳粛さと積み重ねの中で生まれる人々の明るさが好きです。均質で競争的で刺激的な消費第一の都市の中でも美術は効果的ですが、この田舎でのプロジェクトは都市に生きる人たちにも良い体験になると思ったのです。もともと美術的体験は、見るということだけでなく、身体の全体性に関わるものでありたいと思っていました。大地の芸術祭が始まって四半世紀の経験のなかで、できあがった作品が持つ環境や土地と生活といった時空間での体験以外に、それを使っていく、あるいは見ていただく過程も大切なことだと考えるようになりました。さらに私たち人間にとって、もっと直接的な関係があるのではないかと思ったものが、ワークショップや体験装置と言われるものです。

私たちは小学校以来、算数・国語・理科・社会・英語の他に家庭科・体育・音楽・図工という副教科で、身体の使い方、社会事象やそれぞれの性質と関わり方を識ります。それはよく考えられ、工夫された学び方ではありますが、一人ひとりがさまざまな面で異なる子どもにとっては、意外と大変なことだったのだと歳をとるにつれて思うようになりました。

奴奈川の開かれ方を考える際に、すでに松之山の《越後松之山「森の学校」キョロロ》は「住民すべてが科学者」というコンセプトですばらしい活動をしていて、理科は強い。少しずつではありますが、芸術祭のいくつかの施設では地域の食材とお母さんたちの料理を意識的に取り入れるようにし、

▷奴奈川キャンパス／鞍掛純一《はなしるべ》[15]

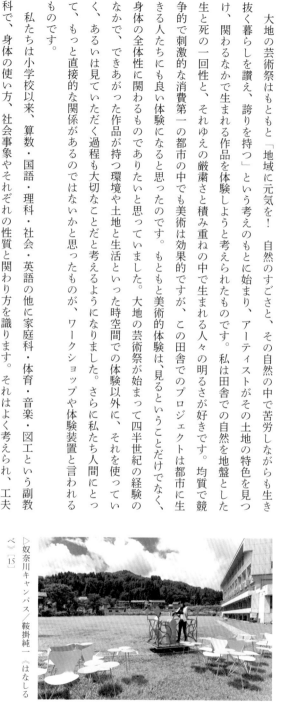

芝居やダンスも行うようにしています。ダンスは音楽と体育の要素を含みます。そう考えると私たちの周りには理科で池内了さん、音楽には高橋悠治さん、山下洋輔さん、巻上公一さん、小林武史*さんがおられるし、ダンスには矢内原美邦さん、伊藤千枝子さん、食ではEAT&ART TAROさん、米澤文雄*さん、美術には松代で長期的に関わってもらっている鞍掛純一さん、豊福亮さん等がおられます。それらの人々の知見をベースに、《奴奈川キャンパス》ではゆっくりと活動をしていきたいと思っていました。外国からは、香港やロシア、オーストラリア、フランス、イギリス、中国の作家も関わっています。そうこうしているうちに、二〇一五年に誕生した女子サッカーチーム「FC越後妻有*」も《奴奈川キャンパス》を中心に活動を広げるようになりました。彼らはサッカーの練習の他に、お年寄りたちへの体操教室、学校への出張授業をやりながら、農業や芸術祭にも関わっています。それらの縁を大切にしながら、身体・五感の体験施設としてうまく機能していくようにしたいと思っていますが、今現在はロシアのターニャ・バダニナ《レミニッセンス（おぼろげな記憶）》［15］、アレクサンドル・ポノマリョフ《南極ビエンナーレ―フラム2号》、鞍掛純一＋日本大学藝術学部彫刻コース有志の木彫《大地のおくりもの》［15］とトロッコ《はなしるべ》［18］があります。TSUMARI KITCHENというお食事処（米澤文雄さん監修）も芸術祭会期中に運営していたり、グラウンドでは県外・地元の子どもたちが、FC越後妻有の選手に学んで練習したりしている光景に出会うこともあります。

　農業といえば、私たちは大地の芸術祭で培ったネットワークを活かし、棚田を保全する活動「まつ

小林武史
音楽家、音楽プロデューサー。大地の芸術祭に共感し、二〇一五年の第六回展では、まつだい「農舞台」にて伝説のバンド「YEN TOWN BAND」の一二年ぶりの復活ライブを手がけた。二〇一八年には作曲家・柴田南雄の交響曲『ゆく河の流れは絶えずして』をベースに、《交響組曲『円奏の彼方（Beyond The Circle）』～based on 柴田南雄「ゆく河の流れは絶えずして」～》を公演する。

米澤文雄
ニューヨークのミシュラン三つ星レストラン「Jean-Georges」で日本人初のスーシェフを務める。奴奈川キャンパスにオープンしたレストラン「TSUMARI KITCHEN」をはじめ、大地の芸術祭の複数の飲食施設を監修する。

だい棚田バンク」を行っています。十日町市の名勝・星峠の棚田や、芸術祭の人気作品イリヤ&エミリア・カバコフの《棚田》など、松代エリアの棚田を耕作しています。

《奴奈川キャンパス》のすぐそばに《中国ハウス》[16]があります。ここは孫倩さんが中心となった中国の民間美術団体HUBARTが企画・運営しているところで、室野の方々とのつながりもできています。孫さんは一〇年ほど前から越後妻有と瀬戸内に年何回もいらっしゃり、芸術祭のやり方を学び、中国にとって本質的な課題である農村に、これらの芸術祭のやり方を活かせないかと考えてこられた方です。この《中国ハウス》は北京の中央美術学院のウー・ケンアン（鄔建安）の作品《五百筆》[18]で覆われていますが、他にも清津峡渓谷トンネルに命を吹き込んだ建築家マ・ヤンソン（馬岩松）や、今はない十日町上新田の作品をつくったシュー・ビン（徐冰）、芸術祭の公式ホームページに連載してくれた漫画家TANGOや台湾の俳優ワン・ヤオチン（王耀慶）等、多くの中国のアーティストを紹介してくれました。

峠《とうげ》

震災からの再生・空家プロジェクト《脱皮する家》

越後妻有にはその地域を表す特徴的な場所があります。『北越雪譜』に描かれたマタギの里・秋山

FC越後妻有
二〇一五年に発足した、女子サッカー選手が棚田の担い手として移住・就農し、プレーする農業実業団チーム。プロとしてサッカーをしながら、里山で暮らすライフスタイルを実践しつつ、担い手不足の棚田を「まつだい棚田バンク」を通して維持している。

▷《中国ハウス》／ウー・ケンアン（鄔建安）《五百筆》[18]

日本大学藝術学部彫刻コース有志《脱皮する家》［06］

郷の結束の石垣田、信濃川水系の豊かな水を利用した東京電力の中津川第二発電所や宮中取水ダム、川西から松代一帯にある江戸時代に拓かれた瀬替えの田んぼ、そして土砂崩れや雪崩跡につくられた棚田。この他にも苗場《なえば》山麓の今はジオパークに認定された津南の石落し、さらに妙法育成牧場等々。その中でも峠の棚田は（合併後に「星峠の棚田」と言われるようになりましたが）、その美しさで知られています。土地の形状と地質をベースに、地下水の流路ともぐら道まで知り尽くして有機的につくられたかたちは、自然に呼応し親しんだまさに人智の結晶です。田起こし後の水入れ時に見られる田んぼの水鏡、緑色の稲が少しずつ変化し収穫時は黄金色に稲穂が揺れるさまは例えようがありません。

　新潟日報の望月迪洋さんがこの集落の由縁を紹介するまでは、峠集落の人々の歴史は知られていませんでした。というよりは、彼らはその由緒を外部の人たちにはまったく語ることがなかったというのです。戦国時代、三河、尾張の一向宗の門徒である農民たちは、織田信長に追われ追われて加賀、越中にまで戦いつつ逃げ、ついに四散したその残党の一派が、雪深い越後の山奥にたどり着いて定住した、自分たちはその末裔だというのです。それから三五〇年余り、その経緯を秘していたという事実に、当時の苛斂《かれん》・弾圧のすごさがわかろうというものでしょう。本多正信の流れにあるのかもしれません。それゆえの厳しさが峠の棚田の美しさになっているのです。山の上からすり鉢のように拡がり落ちていく棚田を囲むように、左手から黒姫《くろひめ》山、上信越の山々、右手に苗場山を見晴るかす眺望はなかなかのものです。

　この場に人々に来ていただきたいと、峠の集落で使用できる空家を探しました。鞍掛純一が率いる日本大学の彫刻専攻のグループが《脱皮する家》という提案で作品公募に応募していたのです。休み

▷空き家の床を彫刻刀で彫りつづける鞍掛純一と日大の学生たち

となれば、彼らは車でやってきて二年半で延べ三〇〇〇人を超えるメンバーが作業に関わり、大地の芸術祭の枠とも言える《脱皮する家》［06］を完成させました。一軒の空き家の床から柱、天井まで、ありとあらゆる場所を彫刻刀で彫りました。築一〇〇年を超える古い家が、彫ることによって生き返ったのです。米国人のキャロル・マンクが入って建物をジャッキアップし、根太《ねだ》*を替え、高度経済成長期の人口増加時に付け足した増築部分を外し、元からあった構造部分に彫刻が入りました。壊すしかなかった家が生き返り、《脱皮する家》となったのです。しかしあの苛烈ななかに黙して守られた集落であったればこそ、日芸の諸君の苦労も大抵のことでなかったと、一〇年以上経って私は知ることになりました。それは峠だけのことではなく、この越後妻有地域においてはどこの集落でも一般的なことだったと、親しみを込めて今は思えます。最初の頃は、集落に通っても通ってもわかってもらえない、受け入れてもらえないことの繰り返しでした。この地域の言語はコミュニケーション言語ではなく、（薩摩藩に入ってくる幕府の御庭番*摘発のような）他所者を知り摘発するためのものではないかと思うほどでした。「この地方の美徳は出る杭を叩いて潰すことだ」とか、「朝からの会議も夜の飲み会をこなして、夜九時頃にならないと本音が出てこない」だとか「お前は飲み会に出ないからだめだ」とか散々な言われようでした。そんな中で、自分が他所者である地域で仕事をするとはこういうことだ、とだんだんわかってくるのです。いずれにせよ、《脱皮する家》は峠集落における大地の芸術祭のベースキャンプとなり、オーナーもついて、宿泊できる施設となりました。グループが一泊して楽しむに

根太
住宅の床を張るために必要となる下地材。

御庭番
江戸時代の第八代将軍・徳川吉宗が設けた幕府の役職で、将軍から直接の命令を受けて秘密裡に諜報活動を行う隠密のこと。

は良い施設になっています。

この集落では二〇〇六年にイギリスのランドアートの聖地であるグライズデールからのグループ（グライズデール・アーツ）が滞在してプロジェクトを行い、小澤さよ子は空き家で《私たちはそれを、ありありと憶い浮かべることができる》［06］を展開しました。川口豊／内藤香織の造園グループも仕事をしてくれましたし、彫刻家の吉井講二＋水組・花組・石組《TOGE 夏の庭》［06］や、丸山純子《無音花畑》［06］のプロジェクトもありました。

蒲生《かもう》・儀明《ぎみょう》

大切な町医者の存在と記憶　《ドクターズ・ハウス》

蒲生にはぶなが池と言われる美しい湖沼があり、脇には豊かなブナの自然林があります。そこに、保科豊己がてっぺんに山ぼうしとブナの木を植えた階段状の塔《ぶなが池植物公園「マザーツリー空中庭園」》［03］をつくりました。二〇一五年には東京藝術大学とフランスのエコール・デ・ボザールの学生たちがパフォーマンス《私と自然》［15］を幻想的にやってくれました。今は亡きジャン＝リュック・ヴィルムートが出演したのを想い出します。このほとんど知られていない美しい森が自然体験の場になれば良いと思っているのですが……。

▷右＝保科豊己《ぶなが池植物公園「マザーツリー空中庭園」》［03］ 中＝ステキ発見大賞「火の用心」（高橋賢治）防火用の給水塔に積もった雪　左＝室岡医師宅に残されていた資料

二〇一〇年にこの蒲生集落から嬉しい知らせが届きました。「かつてこの集落で一九〇六年から一〇〇年にわたり代々医者として地域を助けてくれた方の家を、そのありがたい記憶とともに残してきたのだが、もう持ちつづけられない。芸術祭で使ってもらえないか」と言うのです。

除雪車がまだ存在しない時代の冬は、集落のことは集落内で処理する以外、方法がありませんでした。道路脇に三メートルほどの高さで、直径五〇センチほどの円筒状の穴が空いた構造物をそこここで見かけますが、これなんぞは積もった雪の下にある（防火用の）池やプールから消化用の水を汲み上げる仕掛けだったのです。緊急の病人が出た時は大変です。医者のいる場所まで泳ぐように雪を掻き分け、あるいはかんじきでそりを引くことを余儀なくされます。当時お医者さんが集落にいてくれることは夢のようなことだったとよく聞きました。蒲生でも医者に来てもらおうと何年も努力したそうです。その甲斐があって来て下さった室岡医師は、とてもよく看て下さったそうで三代まで続いたそうです。しかし、一九五九年に三代目の室岡虎次郎さんがお亡くなりになり、氏の仁徳を慕う人たちが多く、その家を残してきたと言います。初期の越後妻有や、他のプロジェクトでも縁の深かった韓国のイ・ブルが、この家に残された医科の機材やその他家にある名残の物を活かした《ドクターズ・ハウス》[15]というすばらしい作品にしてくれました。実際にこの家には蒲生やその近くに住んでいる人だけでなく、縁があったという多くの方が遠くからもやってこられました。その記憶を留《とど》めるべく、今後はもう少し手を入れていこうと思っています。

▷イ・ブル《ドクターズ・ハウス》[15]

蒲生の隣にある儀明集落では、二〇〇六年に中村敬が古い壊れた家で《くじら屋根の美術館》をつくってくれましたし、中瀬康志は二〇〇三年に空中に飛び出した舞台付きの力作《儀明劇場―倉―》を展開してくれましたが、残念ながら今はありません。ご高齢になられた針生一郎*さんと、そこにいたる坂道をともに降りて行ったことを想い出します。

針生一郎さんについては感謝を込めて一言書いておきたいことがあります。上京したての頃、私は左翼系の劇団に通い、新日本文学系のロシア語講座やセミナーに出席し、首都圏の高校の社研で活動し吉本隆明を熟読している予備校生のM君の影響を強く受けて、アルバイトをしながら東へ西へとデモに参加する日々が続いていました。御茶ノ水から中野まで歩きながら本屋を覗き、まとまった時間があれば中野図書館でニーチェやマルクスの、それも日記や断簡の類を読んでいる日々で、いわば放浪の時代でした。鴨長明の日記を新大久保の古本屋で見つけ、彼が建築家だったと知りました。私が先ほどあげた党派の流れからスッパリ外れるのは、日韓基本条約批准反対闘争で、その調印の日に左翼党派が党の祭りをやることを知り、私はわずかな個人参加の人たちがやる国会前デモに参加したのです。そんななかである日、絵を描きたいと思ったのです。自分のやりたいことをちゃんとやる、これが指針となりました。

針生さんはその当時から美術評論を書き、文化運動のひとつの流れのリーダーだったと思います。私のやることが社会的になるにつれ、私は党派の動きからはキッパリと離れてはいましたが、仕事上ご一緒になることも多くありました。美術に向かい合っているだけあって、よく対象を見ておられるとも感じていました。

▷中瀬康志《儀明劇場―倉―》[03]

針生一郎
（一九二五―二〇一〇）美術評論家、文芸評論家。国際美術展などのプランナーとしても活躍し、ヴェネチア・ビエンナーレ、サンパウロ・ビエンナーレのコミッショナーも務めた。

日本の美術界は社会性が乏しい、さらに政治的党派性をすぐ持ち込むし、マスコミ等の多数派に寄りかかる傾向がある。社会性の質はアーティスト個人の生理、体験、思想の重層のなかで浸透し合い、鍛えられていくので、そう簡単に記号的正論では語れないのです。

私はプロジェクトを過剰にやりがちなので、毀誉褒貶《きよほうへん》が多い（と人に言われます）。そんなことが色々ありました。後にわかっていくのですが、針生さんはそんな私とは違う反対派のなかにいながら、私への単純な批判に対して、いつもかなりカバーしてくれていたのです。氏につながる縁者とも今は仕事もしていますし、針生さんのお人柄に接したことは今も温かい思い出です。

田《た》野《の》倉《くら》

地域の人々の物語をかたちにする

アネット・メサジェには前々から大地の芸術祭への参加をお願いしようと考えていましたが、クリスチャン・ボルタンスキーのパートナーだと知ってからは、ますますお願いしにくくなってしまいました。が、勇を振るってクリスチャンに相談したところ、「それはアネットが喜ぶだろう」と話して

▷アネット・メサジェ《つんねの家のスペクトル》[15]

くれました。やはりな！　そういったわけで二〇一五年にアネットの作品《つんねの家のスペクトル》が実現しましたが、「今年は僕は遠慮するよ」ということで、二〇一五年はクリスチャンの新作が唯一ない年になりました。

アネットは地元のお母さんたちの話をよく伺っていました。そして出てきた提案は、集落のお母さんたちがぬいぐるみをつくるという企画です。ハサミ、包丁、梁など部屋いっぱいに吊り下げられた用具類のぬいぐるみからは、この地に生き、家族を守り支えてきた女性たちの手あと、働きの匂いが感じられます。それは家そのものをかたちづくる、家を構成する大切な部分を見せられているかのようです。用具が家であり家が用具であるかのような、部分が全体を表しかたちづくっている作品です。

石松丈佳は最初から田野倉集落にこだわってきました。この地域に伝わる民話「三九郎狐*」をベースに、集落内を狐の仮装をして走るイベント《田野倉ン》を開催したり、皆が集まるすべり止め神社*下の田野倉公園でプロジェクトをしたり、その山に小さな棚田を何十個もつくり、越後妻有の棚田のミニチュア版をつくったり（《棚田階段》[18]）、冬には坂道を利用して人気の高いボブスレーのようなソリゲームをしたりと毎回盛り上がっています。二〇二二年には、空き家を手に入れて生活し、作業をするという、土地に入り込むＤＩＹ（Do It Yourself）をやりだしたのです。二〇一二年に実際にこの集落に移住された地域おこし協力隊の渡辺さん一家の企画に共唱したこともあったのでしょうが、長いあいだの集落との関わりがあって初めて、芸術祭に関わることを喜んで受け入れてもらえたような気がします。石松さんは私たちアートフロントギャラリーがある代官山のインスタレーション展に応募してくれたのがきっかけで、それ以来、多くのプロジェクトに関わってくれています。氏自身は

三九郎狐
田野倉に伝わる民話に出てくる狐。人を化かすいたずら者の狐として、松代に伝わるさまざまな民話に登場する、名物狐の代表格。

すべり止め神社
田野倉集落の山の上にある祠。この地域では地すべりが多く、人家が崩落する被害が度々発生した。住民たちが地すべり防止の祠を建ててお祓いをすると、地すべりがぴたりと止まったという逸話があり、「すべらない神様」として信仰を集めている。

▷石松丈佳＋名古屋工業大学石松研究室《棚田階段》[18]

健康的な建築家で大学の先生ですが、アート的な発想で物事を考える方で、具体的なものをつくるのが好きなのでしょう。ひとつひとつの作業を自分で行います。それはいわば、新しい土地に初めてやってきた異邦人が漁をして、種をまき、耕作する、あり合わせで住居をつくるといった、白紙の状態から関係や物事を生み出す原像を私は氏に感じてしまうのです。越後妻有一帯が一望に見渡せるすべり止め神社での、氏の次のプロジェクトが楽しみです。入試・就活のすべり止めになるか？

莇平《あざみひら》・小貫《こつなぎ》

朝顔でつながる

《明後日新聞社文化事業部》

さて莇平です。ここには小さな旧莇平小学校が道脇にあり、道から斜面にかけて集落が展開しています。この集落に来た日比野克彦はこの小学校を「明後日新聞社文化事業部」と命名し、集落での出来事を中心に「明後日新聞」を月刊で、会期中には日刊で発行し始めました。日比野さんはここで《明後日朝顔プロジェクト》を始め、二〇二三年時点で二八の地域と一団体が参加して全国展開しつづけています。実はこのプロジェクトは、ここ莇平のお母さんとの顔合わせのなかから生み出されたものなのです。

▷日比野克彦《明後日新聞社文化事業部》[03]

集落の方々との打ち合わせがなかなか進まない時に、ふと目にした花壇のことに触れると会話が弾み始め、文化事業として花を一緒に植えて育てるということになったそうです。莇平のお母さんのひとり、高橋カヤさんの「朝顔ならつくれるすけ」という一言で《明後日朝顔プロジェクト》が誕生、その朝顔は校舎の二階までを覆う程になり、朝顔を育てるこのプロジェクトは全国に広がっていきました。

その他、日比野さんは莇平で、ワークショップや、「アサッテカップ」というサッカー大会、演劇祭などを現在まで精力的に開催しています。その年譜は以下の通りです。

二〇〇三年	**第二回展**	記者の観察力・集中力・体力を養うためのワークショップ開催
二〇〇六年	**第三回展**	「一昨日テレビ局」放映、「アサッテカップ」開催
二〇〇九年	**第四回展**	「種は船・莇平丸」入港、集落を一望する「山床」という展望台を設置、ワークショップの開催
二〇一二年	**第五回展**	《ヒビノウィーク》開催（「アサッテカップ」「あざみひら演劇祭」を含む）、《想像する家》《幸七ギャラリー》公開
二〇一五年	**第六回展**	《ヒビノウィーク》開催、《スタジオ・タバコハウス》公開
二〇一八年	**第七回展**	《幸七ギャラリー》新作公開、《あざみひら演劇祭》開催
二〇二二年	**第八回展**	「明後日朝顔全国会議 in 莇平」開催

二〇二二年には松代の莇平から柏崎市を通り、また松代に入る小貫という場所で、それこそはずれ

▷磯辺行久《昔はみんな楽しかった―文化人類学手法によるフィールド・ワークから》[22]（十日町小貫）

の今は住む人もいなくなってしまったかつての集落跡をたどる磯辺行久のプロジェクトがありました。十日町エリアのはずれにも二〇一〇年に廃村となった、同じく小貫という集落があり、こちらでも、同時にプロジェクトを行いました。小貫という集落は「風の通り道」という意味があるほど風の強い場所で、少人数で生きていくには厳しい場所だと言われています。

蓬平

集落に灯る灯りの美しさ

まつだい駅から北に昇る、県道一二号松代高柳《たかやなぎ》線の途中でまつだい芝峠《しばとうげ》温泉雲海を通る会沢《あいさわ》・清水《しみず》・桐山《きりやま》に行く道と、田野倉・莇平に向かう道に分かれます。温泉に向かう道の途中で左の道に入り、急な下り坂を進むと、作品が集中した蓬平集落に着きます。ここには養蚕農家を営んでいたお家があって、神戸の古巻和芳と夜間工房というグループが集落と蚕に関する作品をいくつかつくりました。また、大巻伸嗣が真っ暗な部屋の中に白い球体が立ち上がり、煙となって消えていくという作品《影向《ようごう》の家》［15］という作品をつくりました。中でも印象深かったのはフィンランドのマーリア・ヴィルッ

▷古巻和芳＋夜間工房《繭の家——養蚕プロジェクト》［06］

マーリア・ヴィルッカラ《ファウンド・ア・メンタル・コネクション3　全ての場所が世界の真ん中》[03]

カラでした。お祭りの日に玄関の壁に山笠を掛けるという地域の慣習を目にし、そこから着想を得た小さなパラボラのような作品《ファウンド・ア・メンタル・コネクション3 全ての場所が世界の真ん中》〔03〕をつくりました。山笠を逆向きにラッパのようにし、中に裸電球をつけて夜、玄関灯のように灯るようにしました。この蓬平という集落は丘陵地にある盆地のようなところで、ここに移住する人はもともとの先住者と適度な距離をとりながらポツポツ家を構えていく、そのような住居配置になっているところです。ですから夕暮れになると、あちらこちらにランダムにポツポツと小さな灯りが灯る。そのパラボラがさまざまな方向で光っていく様は、あたかもこの地にやってきた人たちの存在が知れるような感じがしますし、それがまたひとつふたつ消えていく様も宇宙に瞬く星や人間存在の明滅かのようで、それは蚕のようなやわらかさを持った美しさなのです。この灯りの配置にマーリアの修練があるというしかありません。この作品は灯りがつかないと周囲が心配に思い、つけっぱなしのままでも同様に、「あっこん家の婆ちゃんはなしたと（どうかしたか）?」と駆けつけるという働きも担っており、実際に過疎の集落で生きる人の存在を表すものにもなっているのでした。この作品を初めて設置した二〇〇三年には、東京都内の団地にも数個設置してもらい、田舎と都会の呼応というコンセプトも実現したのです。

これは私の好きな、フランスの飛行機乗りだったアントワーヌ・ド・サン＝テグジュペリの『人間の土地*』の一節を想い起こさせます。

『人間の土地』
一九三九年にフランスで出版された、アントワーヌ・ド・サン＝テグジュペリのエッセイ集。邦訳は新潮文庫版（堀口大學訳、新潮社、一九五五年）他いくつか出版されている。

あのともしびの一つ一つは、見わたすかぎり一面の闇《やみ》の大海原の中にも、なお人間の心という奇蹟《きせき》が存在することを示していた。あの一軒では、読書したり、思索したり、打ち明け話をしたり、この一軒では、空間の計測を試みたり、アンドロメダの星雲に関する計算に没頭したりしているかもしれなかった。また、かしこの家で、人は愛しているかもしれなかった。それぞれの糧《かて》を求めて、それらのともしびは、山野のあいだに、ぽつりぽつりと光っていた。中には、詩人の、教師の、大工さんのともしびと思《おぼ》しい、いともつつましやかなものも認められた。しかしまた他方、これらの生きた星々のあいだにまじって、閉ざされた窓々、消えた星々、眠る人々がなんとおびただしく存在することだろう……。

努めなければならないのは、自分を完成することだ。試みなければならないのは、山野のあいだに、ぽつりぽつりと光っているあのともしびたちと、心を通じあうことだ。

（『人間の土地』サン＝テグジュペリ著、堀口大學訳、新潮文庫）

まつだい芝峠温泉雲海周辺にもいくつかの作品があります。草地には約三×三メートルほどのフレームの中にアルミ板を格子状に配置したロシアのフランシスコ・インファンテによる作品《視点》［00］があり、その隙間と彩色されたアルミ板によって遠くの風景をおぼろげに見るというもので、この作品の前で記念写真を撮る人が多いです。彼は一九九四年にできたファーレ立川の植栽で、私たちが見ている壁は実は床のタイルであり、オブジェが映し出したものであるという興味深い作品をつ

▷フランシスコ・インファンテ《視点》
［00］

くり、一九九七年にクイーンズスクエア横浜でも手前のオブジェを遠景と組み合わせるという仕事をしてくれました。彼のことはフランスのジャン・ド・ロワジーの紹介で知ったのですが、来日時には私が田舎の母のために用意したアパートの空室に奥さんと一緒に一か月ほど滞在しました。心臓に疾患があり要注意とのことだったのですが、二〇年後の今も仕事をしているそうです。名前はスペイン名で、彼は二〇世紀激動の時代の生き証人のような人生を送っています。一九三六年から始まったスペイン内戦で、彼の父親はフランコ軍と戦い、ソ連に逃亡、しかしシベリアに送られそこで死亡。彼は誕生以来、父を知りません。彼の作品にはギリギリのところで空間を多様化、多層化する自在さが見てとれます。ソ連生まれの夫人に長年支えつづけられた彼は、美術という領域で、その自由で自在な思想を生きている感じがします。カバコフ夫妻もそうですがインファンテも、二〇世紀からこの二一世紀にかけて、故郷や国家、国際的経済マフィアとは異なる、美術という無限の意識・時空間のなかで熾烈な格闘と人間のドラマを生んできたような気がします。私はその時空間を見せてくれるアーティストを知っていきたいと思うのです。

　芝峠から莇平へ向かう県道四二六号の道沿いの田んぼに二〇〇九年、リトアニア出身でポーランド在住のスタシス・エイドリゲヴィチウスの《訪問者》という、船のマストに布が張られた作品が登場しました。彼は一九九四年の世界ポスタートリエンナーレトヤマで金賞を獲得した作家です。その作品に出てくる何とも言えない顔、哀しみや苦悩や辛抱が重ねられた表情には、ヨーロッパ中部の国際

▷フランシスコ・インファンテの手がけた機械搬入口［94］（ファーレ立川）

政治に蹂躙された歴史が映されているような気がするのです。二〇二二年に瀬戸内国際芸術祭で小豆島は土庄町の迷路のまちの作品が多くの人に衝撃を与えたのも頷けます。彼は二〇〇〇年に、今は《最後の教室》になっている旧東川小学校横の旧教員住宅の壁に絵を描いてくれましたが、これも惜しまれつつなくなったことも報告しておきます。激動の時代に、杉原千畝さんが大使館員としてユダヤ難民へのパスポートを独力で出しつづけたのもリトアニアでした。スタシスのホームページで、氏の描く顔を見ると、私はほっとするのです。

会沢・清水

山越えの道沿いに点在する集落

会沢には幕末、東北列藩同盟が薩長を中心とする新政府軍に追われて逃げた裏道があります。密度の濃い落葉樹の林の中には、石碑も遺っています。これはやがて上越市の高田の方から続いている瞽女道と合流し、六つのトンネルができるまでは頸城から中魚沼へと抜ける、山越えの重要な道になっていました。二〇〇九年、この高い木々が植えてあるコナラの林の中で、ドイツから新潟の上原木呂さんとパートナーになってやってきたアンティエ・グメルスが、木の精のような「目」がたくさんある《内なる旅》［09］という作品をつくりました。枝払いをすると雑木林のコナラやブナがつくる適

▷スタシス・エイドリゲヴィチウス《訪問者》［09］

アンティエ・グメルス《内なる旅》［09］

度な木々の間合いや下草の重なりも美しく、木の梢から見上げる空を含んだ、得も言われぬ、私たちを心地良く包んでくれる空間をつくりました。ここにアンティエは集落の人たちも楽しく加わってくれるような、人手が入った贅沢な世界をつくりました。架けられた梯子も空へ伸びていく物語のような世界で、それ以来会沢の人たちはこの体験を大切にしてくれていたような気がします。

会沢からすり鉢状になっている林と棚田を左手に見ながら細いくねくねとした県道二一九号を抜けると、旧清水小学校があります。一階はピロティ（道具置場や冬には駐車場にもなります）、二階には各教室、三階の体育館も立派なものですが、一九九〇年に休校（閉校）になってしまいました。その後二〇〇六年にはこへび隊の宿舎にもなりました。清水集落は松代中心部から離れていて、しかも柏崎から松代に入る道は主要道路でもないので人口も減少しつづけています。棚田は地すべりのためほぼなくなってしまった地域でもあり、使い方に工夫がいるところなのですが、五月には燕がスイスイ飛んでいたりと風通しが良く、見晴らしの良い場所でもあります。今は川俣正のアトリエ兼展示室を組み込んだ《妻有アーカイブセンター》[22] として使われています。

さらには、大地の芸術祭に共感を寄せて下さった、入澤美時さん、中原佑介*さん、粟津潔さんら故人の皆さんによる蔵書の寄贈があった他、太下義之*さんの文化政策関係資料等があり、美術についての書籍はかなりの量にのぼります。上記四名の方に共通するのは、好奇心の幅が広く、一般社会科学書、あるいはリベラルアーツへの関心がベースにあるということです。こうして、《妻有アーカイブセンター》では土台のしっかりとした文庫が形成されつつあるのです。

ここからさらに先は東頸城山麓大地の中腹を走る眺めの良いコースで、山腹の曲がりくねった道を

中原佑介
（一九三一—二〇一一）美術評論家。東京ビエンナーレやヴェネチア・ビエンナーレのコミッショナー、大地の芸術祭のアートアドバイザーなどを務めた。

太下義之
文化政策研究者。同志社大学教授。著書に『アーツカウンシル』（水曜社）ほか。

直線路に改修する際にできた残地を公園にしたところがあります。この時に公園に制作されたのがリチャード・ディーコンの《マウンテン》［06］。芸術祭が立ち上がった時の平山征夫県知事は、芸術祭をさまざまな側面で応援してくれました。そのひとつがポケットパーク整備事業です。ディーコンのこの《マウンテン》もそうですが、中里の釜川沿いにあるカサグランデ&リンターラ建築事務所の公園《ポチョムキン》［03］、松代から松之山に入る際の浅葉克己とジョン・クルメリングによる巨大看板《ステップ イン プラン》［03］等、しっかりとした土木・公共事業的な要素のある恒久作品はこの事業によってできたものです。砂場やジャングルジム、ブランコ等、道路脇の公園を想い浮かべてみると良いでしょう。ここでの作品設置条件は国土交通省の予算で公園の楽しいベンチをつくるということです。ディーコンは黒々とした黒姫山を背景に夕べには日本海に沈む夕陽を、日の出には落葉広葉樹の中に棚田がある里山を見下ろす景勝の地となる場所に見事な造形をつくってくれました。しかしこれには後日談があります。「どう考えてもこれはベンチではない」という意見が出て、「では二基のベンチを山の見えるところにつくろう」ということになって、際には小さなベンチも置かれ、すばらしい場所になっています。二〇一八年には、ここから見下ろす棚田跡にオラフ・ニコライが赤・青・黄の光で人間の息吹のような《昼の光ににじむ灯》をつくってくれましたが、これも夕陽に輝いてとても美しかったのを覚えています。

▷川俣正《妻有アーカイブセンター》［22］

桐山

三軒の空き家作品

《マウンテン》を通り越してさらに奥へと進むと、桐山集落にたどり着きます。現在、マーリア・ヴィルッカラ《ブランコの家》［06］と、クロード・レヴェック《静寂あるいは喧騒の中で》［09］／《手旗信号の庭》［12］、BankART1929を中心とした《BankART 妻有—桐山の家》［06］の三軒があります。今は一世帯しか住んでいませんが、二〇〇〇年には一二世帯の方々がおられました。

まずはマーリア・ヴィルッカラの作品《ブランコの家》について。作品があるお家は手入れが行き届いており、家の周りには野菜畑もあり、聞けばこの家の三姉妹の末っ子で柏崎に住まわれている方が面倒を見ておられるとのこと。マーリアはその岩崎さんから、幼い頃の話をよく聞いて、一家の楽しい団欒の想い出話から想を得ました。縄ないの素材を使ったブランコは実際にあった話に基づいているし、金色に塗った藁草履は喜びの表れでしょう。仏壇など家にあったものはそのまま遺し、壁の割れ目は金継ぎしました。家の気配に敏感な人は、この家に妖精が出てきて喜んでいるという。こんな話を聞くのは一度ならずありました。外の電線上にはマーリア特有の、行進する動物がかたちづくられていました。第四回展では入口をもともとの玄関から、かつて厩舎《うまや》があった場所に移して、作品

▷上＝リチャード・ディーコン《マウンテン》［06］下＝マーリア・ヴィルッカラ《ブランコの家》［12］

▷BankART1929＋みかんぐみ＋神奈川大学 曽我部研究室＋50数名のアーティスト《BankART 妻有—桐山の家》［06］

全体も、農業の名残を感じさせる空間から落ち着いた書院風のものにしました。一階は、新しいブランコになり、グラスに入った水が置かれていますが、そのグラスの中の水はブランコが揺れてもこぼれないようになっています。

二〇〇九年には、《ブランコの家》があるあたりから県道二一九号へ向かい、少し上ったところにクロード・レヴェックの作品《静寂あるいは喧騒の中で》がつくられました。クロードも家の気配を大切にした作家だと思います。庭には風を受けて回り光る風受け柱《手旗信号の庭》がつくられ、家の中に入ると火口にある溶岩が滾《たぎ》っているような部屋や、赤や青に明滅する部屋などがあり、大いなる地球誕生のドラマに呼応しているように感じられます。

松代商店街

こんなに楽しい夏はなかった

ほくほく線のまつだい駅を降りて、まつだい「農舞台」とは反対の改札を出て、国道三五三号を渡り、突き当たりのT字路を左手に入ると松代商店街が現れます。

第七回展には、モロッコ出身のムニール・ファトゥミが、白い煙突がいくつか突き出た、ストーブのある美しい家《カサバラタ》［18］を空き地に建てていて、それは街なかにひっそりと収まってい

▷右＝クロード・レヴェック《静寂あるいは喧騒の中で》［09］左＝マーリア・ヴィルッカラのつくった電線の上を行進する動物たち

ました。

　豊福亮の作品《黄金の遊戯場》［15］は、かつて香港の農業指導者袁易夫や香港大学のOB・OGや学生（AやもうひとりのAや、BやCの懐かしい人たち）が、松代城山内の空き地を使い自給自足の農業をやるための実地研修として越後妻有に長期滞在していた家を使用したものです。彼らは香港の大アパート群から捨てられる食料ゴミを回収して有機農業を行っており、越後妻有では、知的障害者の焼き物の展覧会を十日町の段十ろうという公共施設で開催しました。今でも城山に彼らが耕作した畑が残っていて、私は何人かの人々の顔を想う時に、そのつながりが芽吹くことを希望しています。

　さて、豊福さんのことですが、私は彼が学部生だった頃から知っていました。彼が仲間たちとやっていた大島村（今は上越市に合併）の空き家を使ったプロジェクトに関心を持っていました。彼の魅力は、一言で言えばどんなものでも手のかかったものに変えてしまう能力です。この家でもゲーム機から麻雀卓などありとあらゆるものを集め構成し、金箔で塗ってしまうすごさです。豊福さんはその学生時代から仲間と一緒にプロジェクトをやっていて、その指導力と楽しんで厳しい仕事をやるという作法に共感するところがあり、市原、瀬戸内、奥能登でも色々手伝ってもらっています。作家としての孤心とそのチーム仕事をどうやっていくのか、期待しているのです。

　現在、松代商店街には豊福亮の《黄金の遊戯場》がある他は、新潟の村木薫が長年かけて手がけた土壁による修景プロジェクトの名残りのある家があるだけですが、第一回には新潟県にゆかりのある

▷右＝ムニール・ファトゥミ《カサバラタ》［18］左＝豊福亮《黄金の遊戯場》［15］

たくさんのアーティストが作品を展開してくれました。なかでも一軒の家のエピソードが記憶に残っています。玄関から入って上がり框《かまち》があるその家には舟見倹二の丁寧な平面作品が置かれていました。見学者は作品を鑑賞し、芳名帳に記帳するのですが、奥からその家の品の良い気配のご夫婦が声をかけ、ご挨拶をするのです。そこではお茶とお菓子が振る舞われました。家の佇まいと作品が調和していて人気のある場所でした。ところがその秋、その家のご主人が亡くなったとの知らせがありました。「嗚呼！　この夏の応接のせいだ」と私は弔問に伺いましたが、ご夫人は、おおよそ一万人もの芳名帳を出されて、「主人は、こんなに楽しい夏はなかったと言って亡くなりました」と私に話して下さいました。これも私にとっての芸術祭の原点です。

松代はここに書けないほどのプロジェクトがありました。インドネシアのヘリ・ドノの、牛が登場するパフォーマンス《ゴールデン・バッファロー・プロジェクト》［03］や田んぼを使ったセツ・スズキの《田植えプロジェクト03》［03］もありました。

小屋丸《こやまる》　言葉と色は無限の可能性

まつだい「農舞台」のフィールドミュージアムを抜けて松之山の越後松之山「森の学校」キョロロ

へ向かう道は、以前は城山から小屋丸、松口集落を通ることが多くありました。小動物に出会うこともかなりあるし、昔はこの近くの大荒戸《おおあらと》集落で石油が出ていたこともあり、遊郭もあったという山中には珍しい雰囲気もありましたが、道に迷いやすいこともあり、時間の余裕がない最近では、私は国道二五三号から池尻で左に折れて小谷《こたに》を通る経路を使用しています。小屋丸には以前、ブルガリアの音楽家ボイコさんが長い間住んでいて、氏のお母さんが用があるときは片道一時間以上かけて松代まで歩かれる、その姿を見ることもよくあったものです。

その小屋丸集落で作品を手がけたのがフランスのジャン＝ミッシェル・アルベローラで、ほくほく線掘削工事で使用したコルゲート管を利用してこの地域特有のかまぼこ型の小屋をつくり、その中に長野県柏原の俳人小林一茶の句をベースにしたペインティングを施し、言葉と色がうまく浸し合う空間を生み出しました。アルベローラは第一回展の際に、《ABECEDAIRE》[00]を十日町市街地に展開してくれました。氏にとって言葉と色は人間が考える無限の可能性であり、夢を構成する手立てです。小屋丸では二〇〇三年に世界最小の美術館として《リトル・ユートピアン・ハウス》をつくりました。二〇〇九年にはドキュメンタリー映画「小屋丸 冬と春」を、二〇一〇年には「小屋丸 夏と秋」が制作され、一般の映画館でも上映され、さらにヨーロッパのテレビ局「アルテ」でも放映されました。二〇一五年にはこの美術館のそばに小さなオブジェ《空の鳥はことばを運ぶ》をつくりましたが、それは日本がまだ前近代の頃にアナキズム思想の源流として活動していた石川三四郎と博物学者・南

△ジャン＝ミッシェル・アルベローラ《ユートピアン・ハウス》[03]

方熊楠の記憶としての作品でした。

犬伏《いぬぶし》 芸術祭を支えるもの

十日町から松代方面に向かう国道二五三号では、薬師《やくし》トンネルを出ると左側にそば処松苧（野菜天ざるがうまい）があります。その隣の田んぼの中にあるそば畑には、ドイツのトーマス・エラーによる巨大な肖像《人 自然に再び入る》〔00〕があり、そば屋さん奥の田んぼには塩澤宏信《イナゴハビタンボ》〔06〕という焼き物でできたすべり台もあるのです。エラーは過疎化する土地に対して、学んだ日本語の「人」という漢字に想を得て、自らを転写した肖像をアルミニウム板とついたてでつくり、片方の側面から見ると「人」、反対側から見ると「入」にも見えるように設置して、この地に人が増えることを願望しました。この巨大な作家の肖像は夏には蔦に覆われ、冬は首のあたりまで雪に覆われます。

また、橋詰を渡ったすぐの犬伏集落側にスペインのジョセップ・マリア・マルティンの《ミルタウン・バスストップ》〔00〕という可愛い赤いバス停小屋があります。ジョセップは山から降りて雨の日も雪の日も三〇分も前からバスを待つお年寄りのために、径庭に囲まれたいたれり尽くせりのバス停をつくってくれたのです。このバス停から坂道を上がると犬伏の集落に入ります。この国道四〇三号の入口には、五月になると大きな鯉のぼりが道の両脇から渋海川を横断するように吊るされ、それ

▷左＝トーマス・エラー《人 自然に再び入る》〔00〕右＝塩澤宏信《イナゴハビタンボ》〔06〕

はそれは壮観です。お盆になると出身者が外から戻ってきて盛り上がり、裸押合祭り*は奇祭といっても良いほどの見ものです。カブト虫、バッタ、ニワトリなど段ボールでできた作りものを被ったり、背負ったりして一晩松苧神社の周りを巡るのです。異様といえるほどの、見たこともない光景なのです。松苧神社への登り道に白い祭礼の幟《のぼり》が林立する風景も壮観で、犬伏出身者のほとんどが祭りの日には他所から帰ってくるというのも頷けます。また、この集落には、七歳になる男の子たちが、チェーンをつたって国宝重要文化財の松苧神社本殿を目指して急坂を登りお参りする、七つ詣り*という風習があります。越後妻有に残っている古代の世界です。

集落の奥には塩澤宏信の《翼／飛行演習装置》〔03〕があります。ここはもともと集落の火葬場だったところで、野仏・石碑がありました。アーティストはここに荘厳ともいえる翼のような作品をつくって祈りを捧げました。その形状もさることながら、質感・色合いともにこちらに迫りくる迫力があり、かつ空への開口部を持った、私の好きな作品です。古代奈良の寺院の鴟尾《しび》を思わせます。

ここでは第一回展のこへび隊として頑張った松本勇馬について触れておきます。二〇一二年には作家として「わらアート」という稲わらを使った巨大な作品をつくってくれ、以降必要がある時はわら作品をつくってくれます。第六回展では伊沢和紙の作品《こい伏さま》〔15〕をこへび隊と地域の人々とで犬伏集落につくっています。

現在は、まつだい「農舞台」にあるカバコフの《棚田》を見るための文字フレーム付きお立台が、

裸押合祭り
犬伏集落にある松苧神社の祭りで、祭灯籠のみこしをふんどし姿の男衆が担いで、路地を練り歩き、渋海川で身体を清めて神社でお祓いを受け、家内安全と五穀豊穣を祈願する。

七つ詣り
毎年五月八日に行われる伝統行事で、数えで七歳になった男の子が、標高約三六〇メートルの松苧山山頂にある松苧神社まで、山道を登り参拝する。

塩澤宏信《翼ノ飛行演習装置》[03]

野原にポツンと立っていた時のこと。朝夕、あるいは人がついていない時は誰でもいつでも勝手に上がれる仕様になっていました。勇馬はそこにいらっしゃるお客さんに、「芸術祭のパスポートを購入して下さると全作品を見られます。そうするとお得です。そうでない場合は個別鑑賞券（当時は三〇〇円でした）を買って下さい」と声をかけ、スタンプを押していきます。「何時でも見れるのに、入場料がかかるのは不公平だ。払わない」というお客さんはけっこう多い。こういう人たちに一人ひとり対応するのは大変なことですが、しかし勇馬は「有料なのは、芸術祭を支えるためなのです」と頑張ってくれました。カバコフは人気の作品ですが、それでも第一回展の時はお客さんはそんなにおられない。大変だったろう。その日の活動を終え、一人ひとり各作品から帰ってきてミーティングが始まります。何しろ芸術祭をやるということは初めてのことだし、ひとつひとつの問題について話し合うのだから時間がかかります。屋外作品の鑑賞料については大きな問題でした。会議が朝までかかるのは当たり前、少しずつ時間は短縮されていきましたが、これは会期が終わるまでつづきました。人手も足りない。やがて海外青年協力隊に行った落合裕梨の場合は、その頑張りが周囲にも伝わり、母上、姉上も参加して下さるようになりました。今、これを書いていて、当時のことが眼裏の涙とともに思い出されます。水内貴英もそんな頑張っていたひとりでした。彼が担当した松之山の大厳寺高原は、夏でも夕方は寒いし、遠くから毎日ミーティングのために帰ってきていました。彼もまた第二回展から作品公募を出すようになって、瞽女道のある十日町の吉田《よしだ》地区にて、人力移動販売車を集落間で動かすという力の入った仕事《妻有聞曳》[12]をしてくれたし、台北での「ロマンチック台三線芸術祭（浪漫台三線藝術季）」に参加してもらったこともあります。

こう書いていくと、この海のものとも山のものともわからない作業の始まりに参加してくれた多くの人たちが思い出されてきます。平舘圭輔もそんなひとりです。彼は主にイベントを担当していましたが、最初は日本大学の学生でした。お父君との対話が基になっていたかと思いますが、卒業時に進路を検討する上で社会と関わりながら「どう生きるか？」ということを真剣に考えて、色々な質問を私にぶつけてきました。彼はその後大地の芸術祭のイベントを受け持ち、「アートキャンプ白州」の中心にもいた田村光男*さんの指導を受けながら自前のチームをつくって生活していきました。今の芸術祭のイベントを手伝ってくれている大石宏樹はその平舘が立ち上げたイベント制作会社タイラックのメンバーです。平舘が事務所で眠ったまま亡くなったという報は衝撃でしたが、第五回展の芸術祭で彼の追悼の会が自ずと持たれたように、彼は仲間たちに信頼されていましたし、その表情を今でも思い出します。

今活躍しているアーティストで、こへび隊の経験がある人は多くいます。瀬戸芸や珠洲で活躍している南条嘉毅もそうですが、こへび隊を経験したという作家に最近よくお会いします。

第一回展の時は、お客さんがそんなに来られなかった。私も人手が足りない時は作品に貼りつきましたが、一日一人しか来客がない時もありました。何しろ「ツアーバスは空気を運んでいる。全部の作品を一か所に集めた方が良いのではないか」と言われていた頃の話です。後の話になりますが、学生時代の約一〇年間、山梨県の白州でのプロジェクトに通っていた名和晃平さんはその時代のことを

*田村光男
イベントプランナー、演出家。株式会社ステーションを主宰し、国内外で数々のイベントを手がけた。

「こへび隊のような感じだった」と話してくれました。真摯な美術青年にとって、大地の芸術祭はそう見えていたのです。つい最近、美大のA先生から「自分はこへび隊にも、作家としても参加していないが、あの雰囲気を北川さんから学生に伝えてもらいたい。サポーターとしても作家としても参加できるし、今もレアな経験なのだから」と言われて嬉しかったです。「大地の芸術祭がレガシーになってはつまらない」と言われたのです。

さて、犬伏といえば伊沢和紙が有名です。頑張ってやってこられた和紙職人の山本貢弘さんは亡くなられましたが、最近その伝統を小嶋夫妻が引き継いで下さったとのことでホッとしています。ここでは山本さんと亡くなった作家の中村敬さんがとんでもなく頑張ってくれました。一軒の家を床から屋根までとにかく何かをやらなくてはならないと、思いつめているふうに作業していました。第三回展では、この犬伏とは離れた儀明集落にてクジラ屋と言われている真ん中に太い一本の樹木ごとの梁があるガタガタの廃屋を作品にしました。この時はとにかく公開したあとも、半年近くそこに住んで仕事をしていました。伊沢和紙を使った壁紙や行燈は都市でも人気があり、美しい商品として高く評価されているにもかかわらず、中村敬は空間を埋めつくすしかないと、終わりのない終点に向かいつづけているように見えました。まさにアーティスト・アーティストと言われるべき人でした。昨年敬さんを追悼メモリアルの企画展で取り上げた時、敬さんの恩師・逢坂卓郎さんが一生懸命、額やケースをつくって下さりましたが、その気持ちがわかる感じがしたのです。

▷中村敬《伊沢和紙を育てる》[09]

犬伏には不思議なアーティストが入る伝統があるのかもしれません。第一回展に参加した大木道雄は、一本の桜の木をテーマに、住民と一緒のパフォーマンスをやりましたがこれも全力。その地で肉体、作業の全部を捧げるようなプロジェクト《伊沢桜／涙蜜蠟》〔00〕を行いました。大木さんがこの後、全国のいたるところでやっているプロジェクトには、その奮闘ぶりに恐れ入るしかないのですが、彼もアーティスト・アーティストのひとりだと思います。

8 まつだい「農舞台」フィールドミュージアム

農舞台フィールドミュージアム周辺

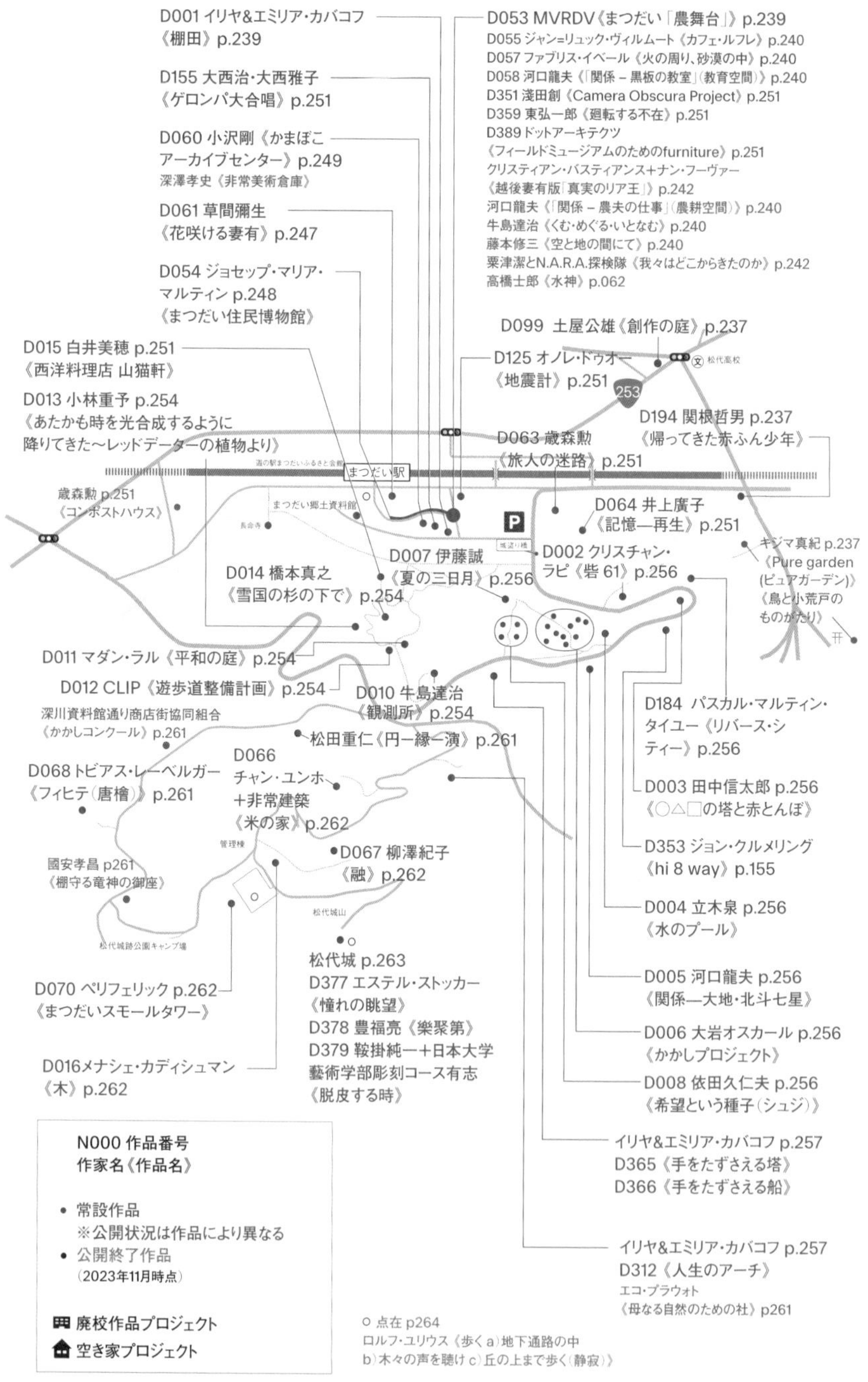

集落の人々とともにある作品

国道二五三号で犬伏からまつだい駅方面に向かい、松代中学校前の交差点を真っ直ぐ進んだ場合は右手に、地域との協働による土屋公雄の花壇《創作の庭》［03］が見え、交差点を左折して坂道を下った場合は渋海川《しぶみがわ》に沿って小荒戸集落に入ります。小荒戸の入口には径庭がつくられ、いつも手入れが行き届いています。川沿いには関根哲男の《帰ってきた赤ふん少年》［09］が、四〇体ほど並んでいます。赤ふん少年たちは冬には帽子を被るし、コロナ禍にはマスクをするなど時節に敏感ですが、これらは集落の方々が気にかけてやってくれているのです。この地域では、昔は作品名の通り、赤いふんどしを履いた少年たちが渋海川で泳ぎ、遊んでいました。この男衆の熱気に対して、キジマ真紀の作品《鳥と小荒戸のものがたり》［15］、《Pure garden（ピュアガーデン）》［12］では、女衆も参加して頑張ってくれました。

この《帰ってきた赤ふん少年》のある道沿いに角を曲がって進むと、瀬替えによる田んぼの向こうに吊り構造のＭＶＲＤＶの《まつだい「農舞台」》［03］が白く見え、その横には草間彌生の《花咲ける妻有》［03］があり、左側の松代城山一帯には作品がいくつか見える越後妻有らしい眺望に心が開

▷《創作の庭》の花壇づくりの様子

MVRDV《まつだい「農舞台」》[03]

かれます。越後妻有には密度ある里山の空間の中にも、展望が開けた新鮮な場所が時々あるのです。

まつだい「農舞台」

厳しい条件を見事に活かした建築

さて、《まつだい「農舞台」》です。この場所はまつだい駅の裏側、田畑があり林が残り、川が流れ、杉林のあいまに土砂崩れや雪崩のあとにつくられた棚田があり、放置された田んぼもあります。そこに不揃いな農道と小道があり、高圧線の鉄塔もあるといった、この地域のどこにでもある景色です。第二回展でこの場所に農舞台を建てると決まった時には、すでにイリヤ&エミリア・カバコフが名作《棚田》[00]のビューポイントとなるお立台を置いていたこともあり、高圧線や線路脇での除雪など、建築にとっては制約が多い立地でした。しかし、そのハンディを逆手にとって活かそうと考えました。かつ、松代はその農地のほとんどが棚田と瀬替えであり、厳しい条件のなかで、人々が工夫を重ねて農地を切り拓いてきた土地です。ここに建てる建物は、農業をベースとした施設にしたいと思いました。

この場所での設置条件は主に三つ、

▷関根哲男《帰ってきた赤ふん少年》[09]

①ほくほく線の横でラッセル車*の除雪の山ができる。
②高圧線が架かった状態での展開。
③カバコフの《棚田》のお立台を建物に組み込まなければいけない。

さらに、建築内にできるだけアート作品を入れたいと思いました。それらの条件をクリアできる建築家を探したところ、オランダのMVRDVというグループが良いだろうということで急遽オランダの事務所を訪ねましたが、こちらの語学力がないため門前でシャットアウト。日本からの所員希望者だと勘違いされたふしがありました。しかし仕切り直して、三〇分後に無理して押し入り、お願いをしに行ったわけです。

この建物は今や越後妻有のシンボルのひとつになっていますが、その設置までの道のりは不思議な成り行きをたどっています。二〇〇〇年、和風の建築でなければ駄目だと最初の提案は松代町にけんもほろろに断られました。しかし、二年後に同じ提案をした時にはすんなりとOKしてくれたのです。その二年間で何がどう変わったのでしょうか？　実施設計と現場監理はCLIPがやってくれました。構造は、雪国なので一階をピロティ兼駐車場にするための吊り構造が採用され、佐々木睦郎構造計画研究所＋池田昌弘建築設計事務所がやってくれました。

最終的に二〇〇三年農舞台オープンの時には、河口龍夫《「関係—黒板の教室」（教育空間）》《「関係—農夫の仕事」（農耕空間）》、ジャン＝リュック・ヴィルムート《カフェ・ルフレ》、牛島達治《くむ・めぐる・いとなむ》（ショップ）、ファブリス・イベール《火の周り、砂漠の中》、屋上に藤本修三《空

ラッセル車
除雪用車両のこと。車両の前方に排雪板を装着し、雪を片側もしくは両側に雪を掻き分けるため、道路や線路の横には除雪された雪の山ができる。

◁①河口龍夫《関係—黒板の教室》[03] ②《関係—農夫の仕事》[03] ③クリスティアン・バスティアンス《越後妻有版「真実のリア王」》[03] ④イリヤ&エミリア・カバコフ《10のアルバム 迷宮》[21] ⑤ジャン＝リュック・ヴィルムート《カフェ・ルフレ》[03] ⑥ファブリス・イベール《火の周り、砂漠の中》[03]

①

②

③

④

⑤

⑥

と地の間にて》（ベンチ）をセットしました。同年、粟津潔さんとN.A.R.A.探検隊が《我々はどこから来たのか》という描画のパフォーマンスとともに演奏会を農舞台でやってくれました。モンゴロイドがアメリカ大陸で洞窟や巨石に彫刻した跡を訪ねて砂漠地帯を巡った成果を分け与えてくれたのです。第二回展オープニング・イベントとして開催された、農舞台のこけら落としにはクリスティアン・バスティアンスの《越後妻有版「真実のリア王」》。草間彌生のファッションショー《草間彌生イブニング》、鬼太鼓座、鉄割アルバトロスケット117、小室等コンサート、現代美術とニブロール（眞島竜男）、渋さ知らズなどによるイベントが農舞台では立て続けに行われました。特に《越後妻有版「真実のリア王」》は演劇関係者に衝撃を与えました。

ここのピロティで忘れられないのは、暮れの吹雪吹き荒ぶ夜に行われた「越後妻有版紅白歌合戦」です。紅白一〇人ずつに分かれての男女対抗ですが、全エリアから出てくるので出場枠の取り合いも大変です。牛のはりぼてを連れてきたりと小道具が念入りなのは男衆チーム、これに対して女衆は実力で勝負です。それがまたうまい！　韓国から嫁としてやってきて、毎夜ひとりで歌うのが美空ひばりの「川の流れのように」だったという女衆が多いのですが、誰も知る人がいないなかで生活してきた、その哀切が滲み出る唄でした。私にはうまく書けませんが、この男女交互の歌合戦は、吹雪が入り込む寒さのなかで、文字通り身に滲みます。「川の流れのように」が歌えなかった人は大津美子を選ぶ人が多く、都はるみの「北の宿から」も人気でした。一位になった女性を庇うように連れ帰った軽トラのふたりの姿を忘れることはできません。ひとつの越後妻有が凝縮していました。この「越後妻有版紅白歌合戦」をまたやりたいと思っています。元ＮＨＫで「のど自慢」を担当していた宮川泰

▷鬼太鼓座の農舞台ピロティでの公演

夫さん（縁者が新潟出身）は、司会をやりたいそうです。全体のプロデュースは、弘前出身のアミューズの大里洋吉さんにお願いしよう！

棚田を背景にした農舞台のピロティはこのようにパフォーマンスにうってつけの場所です。その他農舞台の周りには他所から移設した作品がいくつもあります。少しずつ移設されたり、新たにつくられたり、あるいは消えてしまったものもあります。何しろ、雨が当たらない空間なので子どもたちの格好の遊び場で、アーティストが手がけた遊具の作品は人気があります。その他自転車レース《ツールド妻有》［06］の中継地にもなったり、修学旅行生や幼稚園の幼児たちがお弁当を頬張っていたりもします。二階の越後まつだい里山食堂が満席になる時は、ピロティは二か所目の大食堂にもなります。当然冬は本来の用途のひとつ、駐車場として機能します。

もうひとつ、クリスティアン・バスティアンスの《越後妻有版『真実のリア王』》についても記しておきたいことがあります。日蘭修好四〇〇周年プログラムでオランダからやってきたバスティアンスは、当初、日本の都市の「蒸発」をテーマに芝居をつくろうとして取材をしていました。ところが、大地の芸術祭のことを聞いて越後妻有に来て、この過疎になった豪雪地の大変さを知ってテーマを変え、数か月の作業を行うことになりました。越後妻有は全国に知られた冬期の出稼ぎ地帯です。「越後の風呂屋のサンスケ、宿の飯盛女」です。出稼ぎに出た旦那は春まで帰ってこないし、それから応召で一〇年近く不在になる。そんななかで家を守る嫁。そんな芝居のストーリーに、シェイクスピア

▷クリスティアン・バスティアンス《越後妻有版『真実のリア王』》［03］

の『リア王』のテキストを絡めながら進行するというのですから、一体どうやるのだろうと思っていました。バスティアンスは松代や十日町で住民一人ひとりに取材をしました。ボランティアの通訳がそれをまた文章化します。バスティアンスは農舞台のピロティに吊り下げる膨大な衣装のデザイン案を送ってきて、これを柴田淳さんが声をかけた文化服装学院の学生や卒業生たちがつくりあげてくれたのです。この舞台を森山大道が撮っていますが、「亡霊が見える」と言われたほどのすごい舞台が抽象的な演劇に高められていました。舞台に吊り下げられた衣装に囲まれて、中心には大きな食卓が置かれ、そこにバスティアンスが取材をした一〇人の地元の爺さま婆さまがいて、大晩餐会を開いています。そこで飲み食いするなか、それぞれの出演者が自らの人生について語った声、シェイクスピアの『リア王』のテキストを読み上げる声が交錯し、劇が進行するのです。出演者となった爺さま婆さまは、舞台上で実際に科白を話すことはありません。この公演が終わった時の拍手を忘れることはできません。これを見ていた劇作家の太田省吾さんは「すごい、こんな芝居は初めて見た」とおっしゃっています。急遽、二日後に再演が決まりました。

実は二〇〇四年一〇月二三日の中越大震災の時、私はこの建物の中にいたのですが、そのあと色々な人から心配の電話をもらいましたし、旧松代町・十日町市から人が駆けつけてきました。誰が考えても、この建物が落ちたと思ったのです。この日のことはよく覚えています。二階のショップで売っている食品等を持って、役場前の空き地に設えられた町の対策本部に行きました。当時の関谷達治町長がどんと座っていて、関谷総務課長がＮＨＫからの電話取材に応じていました。その後私は裏道をたどりながら、越後松之山「森の学校」キョロロに向かいました。水槽で飼っているエビや蛇や両生類が逃げ出したというのです。それに併せて記憶に残っているのは、遠藤利克の《足下の水２００㎥》で鉄板の下にあるプールがジャブンジャブンと音を立てていることでした。

田島征三さんはこの時、これもできて間もない川西の千手温泉 千年の湯の脱衣所にいたそうです。「何に驚いたかというと、浴槽に入っていた男たちが素っ裸で脱兎のように飛び出してきたことだよ」とのこと。中越大震災のこの日は越後妻有ではたくさんのプロジェクトが行われていました。多くのアーティスト、スタッフが道の損壊、通行止めをかいくぐって松代に戻ってきました。この後私たちは被災地の現場にいても邪魔になるので、何日かかけて少しずつ東京に帰りました。と同時に「大地の手伝い*」の準備に取りかかりました。

この時のアーティスト、サポーターの働きはとても良いものでした。大地の芸術祭の準備が始まっていましたが、それはともかくまずは地域の復興に向けた「大地の手伝い」をすることになりました。建築家は設計だけではなく解体も上手なのだと、この時納得しました。

貝島桃代さん、石井大五さん、山本想太郎さん、南泰裕さんなどが陣頭で動いていましたが、アーティストは作品をつくるだけではなく、聞き上手でもあるのだとわかったことは驚きでした。サポーターも含めて普通の手伝いだけではなく、不安で孤立しがちなお年寄りの話を長い時間寄り添って聞いていた姿も記憶に残っています。現地のスタッフが、被災地域の困りごとを聞き取り、サポーターの采配をしていました。一九九五年の阪神淡路の震災の時、個人的には被災地に通うことができたの

大地の手伝い
中越大震災のあと、アーティストやこへび隊などサポーターを中心に行われた、越後妻有の復興支援活動。サポーターが瓦礫の撤去や壊れた小屋の修復など、復興作業の手伝いを行った。

ですが、事務所チームとしては何もできなかったという無念があり、それが事務所のある代官山の防災ミーティングにつながりました。その後も女子美術大学での防災プロジェクト、代官山や他の地区での防災ベンチの設置などは行っていましたが、二〇〇四年の中越大震災は、仕事をしている場である越後妻有がもろに被災したのです。震災後、半年ぐらいして嬉しい話が聞こえてくるようになりました。総務省、国交省ルートから「他では復興予算の話ばかりだが、越後妻有のいくつかの地域では早く片付けて二〇〇六年の大地の芸術祭の準備に入りたいという意見が出てきている」というのです。二〇〇五年の春頃からは「一年後の芸術祭に向けて動いたらどうか」という話もよく聞くようになりました。先に何か楽しいことがあると、こうも違うのかと思い知ったのです。地域の雰囲気も変わってきました。この「大地の手伝い」が思いもしなかった潮目になったのだとあとから思いました。

この手伝いのなかで思ったことがあります。吉田地区にあった避難所になった体育館でのことです。電化製品があまりに旧く、高校の運動部の部室にあるような洗濯機ばかり。多くの人が集まる避難所には、乾燥機が必要でした。援助といってもガタガタの電化製品や、中途半端なものや古着はありがたくないのです。私たちは最先端の電化製品を送りたいと思い、

とにかく必要数をチェックし、第一電機と話をしてとにかく送ってもらい、代金は義援金を募り、芸術祭応援団から多くの寄付をいただきました。それまで見たこともないような乾燥機付き洗濯機などです。この震災以降、空き家や廃校を意識的に活用していくこととなり、《うぶすなの家》や《鉢&田島征三 絵本と木の実の美術館》などにつながっていったと思います。

農舞台周辺

松代のシンボルとなった作品たち

農舞台とまつだい駅のあいだに小さな丘があり、ここに草間彌生の《花咲ける妻有》［03］という大きな葉をつけた花があります。二〇〇三年には松代商店街で射的場「草間ブティック」をつくってくれた他、農舞台ピロティでファッションショー「草間彌生イヴニング」をやってくれました。草間さんデザインの衣装でにぎにぎしく行われましたが、これが大人気。今では考えられない贅沢さでした。そのうえ、私も知りませんでしたが、草間さんが自らモデルになって登場するというサプライズもありました。草間さんは話すのです。「私が若い時はこういうことはなかった。アートを展開して

▷草間彌生《花咲ける妻有》［03］

▷草間彌生《草間彌生イヴニング》［03］サプライズでブルドーザーに乗った草間彌生本人が出演。

地域を元気にするなんてすばらしい。昔はもっとそれぞれが個人的で辛かった。こんなことなら私はいつでも参加する」等々。嬉しくて舞い上がりそうになりました。若い頃から注目していた作家で、のちの朝日賞の推薦の時なども、私はいつも草間さんを推してきました。草間さんは身をもって、この国の現代美術を、女性のアーティストが前進するための前衛を担ってきた方なのです。たまにお会いする時には詩を見せてくれたり、小さなカボチャを下さったりしました。草間さんにお会いしたり、ご一緒にプロジェクトをしたりすることが叶わない今、それは残念なことですが、氏の仕事と氏が拓いた世界を、ますます熱烈に敬愛しています。

まつだい駅のホームから農舞台まで屋根がかかった回廊があります。スペインのジョセップ・マリア・マルティンの《まつだい住民博物館》［03］です。ここには一五〇二本の杉板がはめてあります。この杉板の数は、当時松代にあった家の数です。松代にあるほとんどの家の屋号が刻まれていますが、中に素の板のままのものもあって、これは協力したくない方の意思表示なのです。「それもあるかな」と思い、そのまま残してあります。屋号には面白いものも多くあります。この回廊を歩いていくと「よう来たな」「お茶でも飲んでかねえかね」といった住民の声も流れてきます。

屋号にはこんなものがあります。

住吉、ばんきん、東屋、澤入、糀屋、藤次郎、うぜん、若見屋、いやはら、盛田屋、柳屋、かまだや、勝兵衛、大上、まつなが、ぎぜん、田の島屋、善之助、津根院、桶屋　など

▷右＝ジョセップ・マリア・マルティン《まつだい住民博物館》［03］左＝小沢剛《かまぼこ型倉庫プロジェクト》［03］

ジョセップは一軒一軒まわって住民の話を聞きました。その際の家に招き入れられる映像もあります（農舞台一階の階段登り口）。

何しろ二〇年前はジョセップも私も元気でした。私はもともとバルセローナが好きだったこともあり、彼とは気が合いましたし、一緒に京都を旅行したこともあります。そのエネルギーのあまり、国道二五三号沿いにある犬伏のバス停《ミルタウン・バスストップ》［00］が時々、ジョセップに見えることがあります。当時彼は三〇代だったと思います。あれから四半世紀が経とうとしているのです。今もたまにネットで彼の姿を見ることがありますが、巨匠の趣きで髭も生やしているようです。

小沢剛は越後妻有を巡ってかまぼこ型倉庫（車庫にも使われる）に目を付けました。さすがの慧眼です。そのかまぼこ型の由来は何かと調べた結果、北越急行ほくほく線の三〇年にわたる難工事に使用されたコルゲート管が完成の際に用済みになり、それを再利用して豪雪対策として使われるようになったとのことでした。高さ三メートルから三〇センチまでの大きさの違う倉庫を七個つくり、農舞台の雁木の前に並べました。さらにプロジェクトとして、若いアーティストそれぞれに、この倉庫を使った個展を依頼しました。駆け出しの頃の深澤孝史も《非常美術倉庫》［12］という面白い作品を見せていました。小沢さんは私から見ると昔からサイトスペシフィックな方法で、面白い作品をつくる人でした。小さな箱を展示空間にする《なすび画廊》*や、これに似た香川県坂出市の「讃岐醤油画資料館」や、直島の廃棄物のカスで八八体の地蔵をつくった《スラグブッダ88》、野菜を鉄砲にする《ベジタブル・

△深澤孝史《非常美術倉庫》［12］

なすび画廊
一九九三年から小沢剛が手がけ始めた、牛乳箱を用いた世界最小の移動式ギャラリー。

ウェポン》等、見事なものでした。市原湖畔美術館では、近くにある「市原ぞうの国」からゾウを連れてきてパフォーマンスもしました。最初はキャベツなど何でも食べていたゾウが最後にはスイカやバナナなど果物しか食べなくなったのを覚えています。彼が二〇代の頃だったか、私が美学校*で講演した時、講師であろう若者が鋭い意見を述べました。それが小沢剛という名だったことを覚えています。美術を深いところで考えている人です。

美学校
一九六九年に東京の神保町に創立された、美術や音楽、メディア表現を教える私塾。講師には芸術分野の著名人が多く、講義内容は各講師が学生の意見を聞きながら決め、自由闊達な学びの場として知られる。

城山というフィールド全体をミュージアムに

松代城山

松代城山は、ほくほく線まつだい駅に隣接する農舞台から渋海川を渡ったところの、小さな棚田や畑がある杉林で覆われた一帯で、頂上にある松代城にはかつては狼煙台がありました。第一回展ではイリヤ＆エミリア・カバコフがほくほく線ホームから、城山正面にある七段ほどの棚田を見て、立体絵本である《棚田》[00]を構想したことから、松代の棚田・瀬替えという越後妻有の農業を象徴する施設としての農舞台ができました。文字通りアーティストの直観的な一滴が地域を拓いたという場所で、最初はこの一帯に花が咲き、実がなるという桃源郷のような場所にすることを考えたのですが、それは豪雪地で土砂崩れの起きやすい斜面では無理だという指摘を受け、その時あった棚田の姿のままでフィールドミュージアムができないかと、アート作品を設置し始めました。

農舞台の駐車場横に広がるスペースには、井上廣子の《記憶—再生》［03］と歳森勲の《旅人の迷路》［03］という小さな庭園がつくられています。井上さんは阪神淡路大震災のあと、六甲で病院のベッドを使った《魂の記憶》［98］を発表しましたが、その写真を見て、仕事の誠実さに敬意を持ちました。それ以降の作品もレベルが高く、安心して見ていられる作家です。歳森勲さんは長いあいだ、越後妻有で滞在制作をしてくれました。その生活はこへび隊と同じように作業に加わりながら、夜は飲みに行く、作品もゆっくりつくるという感じで、当時私は多少苛々していました。しかし、その後の氏の活動を知り、また最近彼が「アートキャンプ白州」に参加してきたことを知り、アーティスト・アーティストなのだと腑に落ちたのです。最初は《コンポストハウス》［00］、そのあとに《旅人の迷路》［03］をつくりました。歳森さんと井上さんの作品は今も健在で、その奥には、地元の野の師父である松山金一さんがモリアオガエルクラブ観察ツアーでよく連れて行ってくれるビオトープの池があります。その他、農舞台の周りにはオノレ・ドゥオー《地震計》［06］、大西治・大西雅子《ゲロンパ大合唱》［09］、淺田創《Camera Obscura Project》［17］、東弘一郎《廻転する不在》［22］、ドットアーキテクツ《フィールドミュージアムのためのfurniture》［22］などがあります。

駐車場から城山に登り始める手前にある橋（城盗り橋）を渡りすぐ右の道を進むと、カバコフの《棚田》を左手に見てすぐの平場に白井美穂の《西洋料理店 山猫軒》［00］があります。八つのフレーム

▷白井美穂《西洋料理店 山猫軒》［00］

四月、輝く太陽。雪は消え、湿っぽい霞が空中を充たす。
ずんぐりした馬が、重い耕作用の鋤を懸命に引っ張る。
春のうちに、田んぼの準備を入念に。
新たな播種と種の植え付けのために。
太陽が照りつけ始める。
れた田の面が、暁の光に光る。
が、暖まった大地に種を播いてゆく。
が、大地から濃く生い立っていくように。
五月の太陽の下に木々は芽吹き、田の水はぬるんでくる。
大地から生えた茎は伸びてゆく。
植え付けられた植物が大地を着飾らせるように。
奇妙な木製の枠、タウクを転がして。

人影は見えないほどに、高く成長した稲穂。
九月。鎌をふるい、一粒も残さず収穫を取り込む時だ。
田から、重い束をやっとのことで運び去る。
十月まではすっかり乾燥させ、脱穀するためだ。
しまわないように。

イリヤ&エミリア・カバコフ《棚田》［00］

とカラフルな扉があって、それぞれにお客さんへの注文が書かれている、というシンプルなものですがけっこう人気があり、幼児のグループがここで食事をとっているのを見たこともあります。白井さんは「ファーレ立川」にも参加していますし、瀬戸内国際芸術祭でのプロジェクト《Una》[13]は小料理店を使い、ライブも行われる斬新な作品でした。

《西洋料理店 山猫軒》の奥の木道を上がると、橋本真之の《雪国の杉の下で》[00]が見えてきます。これはタイトル通りの作品で、叩かれ溶接された銅板が、この地で生まれ育っているかのように感じられます。さらに登ると小林重子《あたかも時を光合成するように降りてきた〜レッドデーターの植物より》[00]の白タイルで表装した種子のような作品があります。新潟県の絶滅寸前の三種の植物、タコノアシ、スズサイコ、ノウルシの形態からイメージされています。この杉林を歩くと二人の作品が妙にこの空間に適っているように感じられるのです。

小林さんの作品と細い湧き水が流れる窪地の近くにあるＣＬＩＰのつくった《遊歩道整備計画》[00]を登る道と、カバコフの《棚田》の斜面を上った道が合流するところに、小さな池のある平地があります。ここも元は棚田だった場所で、インドのマダン・ラルがヒンドゥー教の神ブラフマンを象徴する蓮の花をモチーフに、インドでつくって持ってきたオブジェ《平和の庭》[00]に出会います。その上には牛島達治の《観測所》[00]が田んぼの中にあり、充実した散策路になっています。このルートは城山の森を堪能できるメインストリートでもあるのです。

ここで、農舞台の駐車場の奥にある渋海川の城盗り橋を渡って、コンクリートで整備された道から松代城に向かうルートにある作品を挙げていきます。城山を巡るゆったりとした路を登っていくと、

▷右＝小林重子《あたかも時を光合成するように降りてきた〜レッドデーターの植物より》[00] 左＝マダン・ラル《平和の庭》[00]

◁①東弘一郎《廻転する不在》[22]②歳森勲《旅人の迷路》[03]③大岩オスカール《かかしプロジェクト》[00]④伊藤誠《夏の三日月》[00]⑤パスカル・マルティン・タイユー《リバース・シティー》[09]⑥トビアス・レーベルガー《フィヒテ（唐檜）》[03]

①

②

③

④

⑤

⑥

左側にはクリスチャン・ラピの《砦61》[00]、右斜面の棚田には大岩オスカールの《かかしプロジェクト》[00]、少し先のコーナーには田中信太郎のシンボリックな作品《○△□の塔と赤とんぼ》[00]があります。路の反対側には二〇〇九年にカメルーンのパスカル・マルティン・タイユーによる、世界の国名が書かれた鉛筆がぶら下がっている《リバース・シティー》が設置されました。折れ曲がった道の左側には、瀬戸内の屋島から移設した、ジョン・クルメリングの手がけた階段《hi 8 way》[18]、河口龍夫の《関係—大地・北斗七星》[00]があり、右側には立木泉の《水のプール》[00]があります。さらに進んで右側の少し降りて行ったところから、依田久仁夫の《希望という種子《シュジ》》[00]につながり、その先には伊藤誠の《夏の三日月》[00]があります。

依田久仁夫は杉林の斜面に宮沢賢治『祭日』へのオマージュとして、詩による四本の碑をつくり、四つの陶板に「雨ニモマケズ」「屈折率」「月天子」「高原」の時を刻みました。彼は佐渡で焼物の作家として暮らしている時、私たちがやっていた「アパルトヘイト否！ 国際美術展」を佐渡四地区で組織し、実現させてくれた人です。この依頼への呼応はありがたかったし、アパノン全国展の理想のかたちをつくってくれました。その時伺った両津湾《りょうつ》と、小木《おぎ》の港や、宮本常一が設立に尽力した「佐渡国小木民俗博物館」は心に残っています。先ほどの白井美穂さんもそうですが、宮沢賢治作品や『農民芸術概論』*がベースになった構え方が多いのは、越後妻有の作品の特徴のひとつです。私たちが大学を出て、グループで「ゆりあ・ぺむぺる工房」*を始めた頃、『天界航路』という雑誌を発行していました。そこでは「賢治再生」というシリーズをやっていて、西荻窪の図書館や代々木のダルニー果園や上野の地下公園駅等を取り上げ、それらの場所で賢治的な世界を見る、ということをやっていた

▷左＝田中信太郎《○△□の塔と赤とんぼ》[00]

農民芸術概論
宮沢賢治が残した数少ない芸術論として知られる作品で、没後の全集に収録された。

ゆりあ・ぺむぺる工房
一九七一年に北川フラムを中心に、東京藝術大学の学生・卒業生たちで発足。現在の北川が代表を務めるアートフロントギャラリーの前身。「ゆりあ・ぺむぺる」というのは宮沢賢治の詩に登場する、中生代白亜紀の化石につけた名前。

ことを思い出します。イーハトーブのマリオ*という固有名詞化、形容詞から形容動詞へ、さらに無言の会釈によるコミュニケーションに向かう彼の構え方は、私の好きなところです。

伊藤誠は「ファーレ立川」の時から関わりのある作家です。彫刻から重さをとったような造形を生み出し、立体の骨組や面だけで成立する作品をつくります。ここでは森の中に月を映した明るい場を白いコンクリートでつくってくれました。また、二〇二三年には奴奈川キャンパスで《上を向いて歩こう》という作品をつくり、頭の上の景色を装置をつけて体験できるようにしました。

再びコンクリートで整備された路に戻ると、左手には小さな門、その奥には不思議な天体観測所か科学研究所のようなアンテナ付きの円筒の建物が目に入ります。森の中にある秘密めいた洋風の建築、これがイリヤ&エミリア・カバコフの《手をたずさえる塔》[21]です。第七回展が終わってから、カバコフ夫妻からこの作品の提案がありました。

断絶し、排他的になりつつある世界の中で、人々がつながる《手をたずさえる船》というプロジェクトをやっているが、そのシンボリックな塔を越後妻有につくれないか？というものです。イリヤ・カバコフは第一回展の《棚田》の作品以来、越後妻有には格別な親愛感を持って下さっていて、第六回展の《人生のアーチ》[15]は、ご自分の体験を踏まえてのものでしょうが、人生の大変さを共有しようという気持ちがあったようです。この作品の場所選びは難航しました。立地としては、城山が

*イーハトーブのマリオ
宮沢賢治による造語で、賢治にとっての理想郷を指す言葉。岩手県出身の賢治が「いはて」をもじったと言われている。マリオ（モーリオ）も、賢治が同様に実在する地名（盛岡）をベースに造語し、作中に登場させた地名。

良いだろう。しかし田んぼ跡地は農地転用申請が必要だし、地盤も安定していないなどさまざまな問題がありました。加えてこの地域は、冬季の降雪が半端ではなく、施工もデリケートで大変そうでした。設計には若手の利光収、田尾玄秀、照明プログラムは髙橋匡太、川口怜子に頼み、構造と意匠ともに丁寧に作家と工務店との調整をやってくれました。この塔には一人、二人と中に入って瞑想する空間になってくれれば良いと思いました。塔の中にはカバコフのデザインによる世界中の子どもの絵を組み合わせた《手をたずさえる船》の模型と、《人生のアーチ》のドローイングを展示することになりました。後述する《人生のアーチ》の上にある像は五体です。「卵」のかたちをした人間の頭、ライオンの仮面をつけた「少年の像」、「光の箱を背負う男」、「壁を登ろうとしている男、あるいは永遠の亡命」、「終末、疲れた男」ですが、元は「天使」という六体目も含めて全部なのです。「民族・宗教・文化を超えたつながり、平和・尊敬・対話・共生を象徴する」この塔の屋上には、七メートルの複雑な照明があり、「それは世界の人々の気持ちを表すものだ」とカバコフが指定したものです。この作品は世界中が新型コロナウイルスのパンデミックに苦しむなかで構想されましたが、完成してすぐの二〇二二年二月二四日には、ロシア軍によるウクライナ侵攻がありました。善良なひとりのアーティストである彼の人生は、まさに二〇世紀後半から二一世紀の現在まで、第二次世界大戦からロシアのウクライナ侵攻までのすさまじい歴史の中にあったと思います。そのアーティストが晩年《手をたずさえる塔》を始めとするプロジェクト「カバコフの夢」全九点を設置しました。

カバコフは現ウクライナのドニプロに生まれ、ソ連時代にはモスクワにいて表向きには絵本作家として活動していましたが、非公認芸術家として、地下で行われた内輪の会でアルバム作品などを見せ

▷イリヤ&エミリア・カバコフ《手をたずさえる塔》[21]

ていました。欧米で展示活動を行うようになると「トータル・インスタレーション」*を制作するようになり、一九九〇年代にはアメリカへ移住しています。国際的な評価がますます高まり、二〇一四年にはパリのグラン・パレでカバコフの大回顧展が開かれますが、この時美術界のあまりの商業主義に嫌気がさし、帰国し、元気がなくなってしまったそうです。しかしある日突然「僕には越後妻有がある」と起き上がり、《人生のアーチ》を大地の芸術祭に提案したというのです。その思いを《手をたずさえる塔》の灯りで表わし、最後にもう一点《天井に天国を（仮）》の構想を残していってくれたことには感激し、その誠実な思いを受けとめようと思うのです。《人生のアーチ》以後のカバコフの作品、それらのすべてを「カバコフの夢」としてコーディネートしてくれたのは鴻野わか菜さんです。カバコフからは、《手をたずさえる塔》に寄せて、こんなメッセージをいただきました。

越後妻有では、国をこえて色々なアーティストが集い、ポジティブな作品をつくっています。それは、人生、藝術への讃歌です。世界の他の場所の美術は違う傾向を持っていて、なにかを悩み、不平を表す作品が多いのです。しかし、越後妻有では、アートは、世界がすばらしい場所であること、アートは大切だということを語っています。私たちは《手をたずさえる塔》をつくりましたが、越後妻有は「文化の塔」をつくったのです。越後妻有は多くの国と文化の人々が集う場所です。

トータル・インスタレーション　絵画やオブジェ、言葉、音などを組み合わせて表現された、総合空間芸術のこと。

《手をたずさえる塔》から先の路に進むと、野の師父である松山金一さんが植えたヤマユリやかたくりの群生があり、左手には香港からの農業チームが耕作を頑張った野菜畑があります。その先の四叉路からは真っ直ぐ進む路と左手の路の二つの方向に作品が展開していきます。

四叉路を真っ直ぐ進む坂道には、モリアオガエルが卵を産む池や小さな公園、棚田の合間に数々の作品を見ることができます。左手に松田重仁の旧六市町村からの職人と立てた木のモニュメント《円―縁―演》［15］があり、左手に少し降りるとトビアス・レーベルガーが手がけた、ドイツのミヒャエル・エンデやハイネやゲーテの本が入った書棚がある緑陰の図書館《フィヒテ（唐檜）》［03］が杉の木立の中にあり、時間がある方にとってはすばらしい空間になっています。当時、国連高等弁務官だった緒方貞子さんが短い休暇でやってこられて喜ばれたという話も伺いました。そこから先には芸術祭に何度か参加してくれた、東京都現代美術館のある深川資料館通り商店街協同組合による案山子が並び立ったすばらしい道があり、かつては國安孝昌の名作《棚守る竜神の御座》［00］（二〇〇六年に再制作され、《棚守る竜神の塔》へと生まれ変わる）が設置されていた美しい空地に出ます。

一方、四叉路を左に曲がる路では、曲がってすぐに右の路を上がると前述したカバコフの《人生のアーチ》に出会えます。ここはもともと棚田だったところで、第二回展ではインドネシアのエコ・プラウォトがそこから拡がる風景を見る《母なる自然のための社》［03］をつくりましたが、その後は

▷上＝イリヤ＆エミリア・カバコフ《手をたずさえる船》［21］　下＝イリヤ＆エミリア・カバコフ《人生のアーチ》［15］

▷國安孝昌《棚守る竜神の塔》［06］

空き地になっていた場所でした。そこに二〇一五年、カバコフが《人生のアーチ》を提案してくれたのです。

　さらに坂道を登ると、中国のチャン・ユンホ（張永和）＋非常建築による《米の家》[03]を、棚田とともに見ることができます。この地方の棚田は中小さまざま、有機的な形態をしていますが、チャンが選んだのは松代の市街地が見渡せる、今現在使われている棚田の畦道に矩形のフレームをつくり、その中に向かいあったシンプルな対面の椅子を付け、気持ち良く風に吹かれて下界を見られるというものです。その矩形のフレーム上部に一〇〇分の一のこの矩形ベンチの模型がアンテナのように載っています。聞けばこの地域の平均積雪時にこのアンテナ部分が雪の上に見えるという標準器の役目を果たすというものにもなっているようですが、冬期雪が降るとそもそもここまで登ることができません。

　そういえば、チャンを訪ねて北京大学に行った時、学生たちがセルフビルドで家を建てていました。ロンドンのＡＡスクールもそうでしたが、やれることは自分たちでやるというＤＩＹの精神を持つことは、大切なことだと思っています。

　さらにここから少し上がったところにある、あじさいが咲くと美しい小公園には柳澤紀子の《融《とおる》》[03]という円形の小舞台と、イスラエルのメナシェ・カディシュマンの木の形をくり抜いたコールテン鋼二枚板の《木》[00]があります。ここからの急坂を登ると、途中にフランスのペリフェリックの展望台《まつだいスモールタワー》[03]があり、最後には偽のお城、松代城にたどり着きます。これは今から四〇〇年以上前に上杉謙信が狼煙台として使用したと言われている場所に簡単なコンクリート製の櫓をつくり、冬期には、麓から雪の斜面を一気に駆け登る地域の行事「のっとれ！　松代城」

▷右＝エコ・プラウォト《母なる自然のための社》[03]　左＝チャン・ユンホ（張永和）＋非常建築《米の家》[03]

のゴールになっています。優勝者が一年間城主になれるという、冗談のような大会は今も続いていますが、この何ともいえない、冬ののめし方はこの地域の特質のひとつだと私は思うのです。ここでは雪下ろしをしたり、雪をどけたりすることを「雪をかまう」という言い方をします。あまりの大変さが「カマウ」という遊び感覚になりさえするのです。片やキビシイ言い方もあります。一晩雪が降ったあと、屋根に上がっていない家に対して全員が言うのが「あっこの嫁はのめしこき（怠け者のこと）だすけ」です。

さて、この松代城ですが、ハリボテの城とはいえしっかりつくってあり、何とかこれを活かそうということになりました。その結果、一階・エステル・ストッカー（イタリア）、二階・豊福亮、三階・鞍掛純一という、三人の作家が参加することになったのです。留意してもらった条件は次の二つです。

①茶室をつくろう。

②一階は「のっとれ！　松代城」でグチャグチャになるので木は使えない。

以上の条件でそれぞれのアーティストが魅力的な空間をつくってくれました。豊福さんはどれだけの金箔を使用したのでしょう、桃山風の内向きの茶室。鞍掛さんは得意の越後妻有丸裸彫りに黒いニスをかけ、外部風景を取り込んだ、外向きの茶室。このお城にたどり着くまでの道が、田畑に、作業

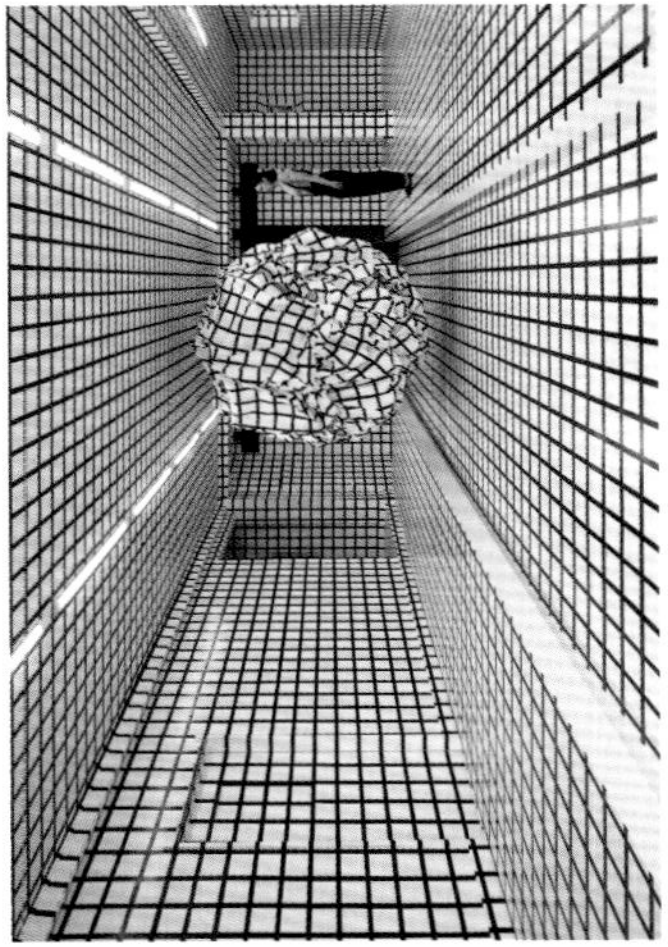

▷エステル・ストッカー《憧れの眺望》
[21]

小屋に、作品がある楽しいフィールドミュージアムになれば良いと思うのです。「せきがはら人間村」が持つ生活空間のようになれば！　と思っています。思えばここは、大都会香港のビル群の狭間で畑を耕し、越後妻有に何年も通ってくれた伍集成文化教育基金會のドラ・ウーさんや農業家袁易夫さんや香港大学のアレックス・ジェームズさん、亡くなる寸前まで杉林の中に入って自然に共生するランドスケープの意識を体現してくれた高野文彰さん、城山の森に数か月入り込んで自然の音を採集し、それをまた自然空間のなかで聞かせてくれたドイツのロルフ・ユリウスなど、作品こそ今は残ってはいないけれど、その記憶の風や土がここにあるのだと感ずることができます。

◁上＝豊福亮《樂聚第》［21］下＝鞍掛純一＋日本大学藝術学部彫刻コース有志《脱皮する時》［21］

避難はしご
避難はしご

あとがき

大地の芸術祭は二〇〇〇年の第一回展以来、来年二〇二四年の第九回展で二五周年、四半世紀になります。そのあいだの経緯と、今はなくなってしまった作品のいくつかにまつわるエピソードを書き留め、大地の芸術祭を巡る人たちに知っていただければとの思いで、この本を出そうと思いました。

ここでの話は、私が時々同乗するバスツアーで話す内容でもあります。私は、話すことと文章を書くことをほとんど同じに考えていて、この本での文章のテンポも、実際のガイドツアーで私が話す感じと似ているはずです。高校生の時から私は、実際に手がけているプロジェクトのリーフレットとして文章を書いてきました。いわばアジビラ鼓笛隊です。芸術祭のホームページなどもそれと同じだと考えています。

ですからこの本でも、私は個人的な体験と私自身の思いを率直に述べています。今まで芸術祭に関わったスタッフ、サポーター、アーティスト、住民のそれぞれが、個人的に貴重な体験を持っておられると思います。それらの新鮮で、凄烈で、凝縮した玉露の一滴一滴が吸い上げられていないことを無念に思います。それぞれ個人のユニークなエピソードが適切に集められる、いつかそんな仕組みができたらなあ。芸術祭は作品だけではなく、そこに関わった人の経験と思いの総量です。

芸術祭でのひとつひとつの作品は、アーティストがこの地に来て、何を感じたのか、何をつくろうとしたのか、どなたと知り合い交流したか、など一人ひとりに固有な思いと技術・作法から生まれてきました。それは砂浜に残された足跡・洞窟に押された手形に始まり、アルタミラ、ラスコーの動物画以来の人間と自然との関わり合いの痕跡、技術だと思います。私はそれを人間のアートだと思ってきました。それは四六億年前の地球誕生の奇跡、広大無景な宇宙の中に一瞬光っては消える人間一人ひとりの孤独な、かけがえのない、厳粛な、それ故の宛名のないラブレターだと思ってきたのです。

絵を描きたい、と思ったのが右往左往してやってきたこの道の出発でしたが、拠るべき社会基盤、自分の意識をつくっていく環境・共同体に対する自覚が必要なのだと美術の歴史をたどりながら思っていました。それはひたすら明治以降の、主にこの国の絵画を熱心に見ていった頃の感想です。また大岡信さんの美術論を折に触れて読んでいたので、特にダダの一員でもあるトリスタン・ツァラの「我々は排他的である！」という自己否定は、今も私のうちにある感覚です。私は美大に入り、懸命に人体デッサンに打ち込んでいましたが、同時に全共闘運動の波がやってきて、近代合理主義・委員会の論理については勉強しました。またコンピューターが実用化される直前で、部分と全体、民主主義と社会的平均値というものとアーティストの持つ固有の生理・表現との決定的な差異について考えていたのもその頃です。そんななかでは特にマルクスの『ドイツ・イデオロギー』で頻出する「交通形態」という概念について、それをコミュニケーションと読み替えて考えていました。私にとって社会は、組体操のような固いピラミッドではなく、押し合い、浸透し合う、誘発されるやわらかな「人間」が関われるものです。それは今も変わらぬ考えで、生まれも育ちも違う人間の生理や嗜好性、思想が誘導コイルのように感応し、共感し、うたげに向かう情動だと思うのです。

藝大での奈良・京都付近の古美術研修旅行で私は藤末鎌初*以前の仏像彫刻にのめり込みました。駅から山道をたどっての寺院（山）への方向はなんとなくわかるようになった頃、それはいわば場の持つ力のようだと思い始めました。またその伽藍の縄張り、結界もおのずと定まっているし、お堂の中の仏像は、その堂の空間に属しながら、同時に空間を属《つく》っているのだと知るようになりました。それは仏像の優品と建築のお互いに影響し合う合わせ方だったのだと今は思えます。運慶の工房の実態が、今の建築設計事務所の日々の活動のなかから見えてくるような気がするようになりました。慶派が採り入れた木材を縦に四等分して掘り出す分業のスピードや、宋風という流行への対応など、それは工房同士の競争のようにも見えました。また平等院鳳凰堂の鴟尾《しび》、ピロティ、さらに阿弥陀如来の寄木造りが船大工の伝統によるのではないか、との考え等は、私が地域型芸術祭を進める根幹になっていたのだと改めて思い、その思考のプロセスに実に鷹揚につきあって下さった水野敬三郎先生はまさに私の美術の出発、逍遥の名伯楽だったと感謝するばかりです。『岩波講座哲学』のなかの林達夫の「精神史・一つの方法序説」（一九六九）を紹介して下さったのも先生で、以来私は『林達夫著作集』の「歌舞伎劇に関するある考察」（一九一八）から「拉芬陀」（一九四二）、「歴史の暮方」（一九四六）を経て、社会主義体制の持つ全体主義性を世界でも最初に指摘し、ルネサンス研究に向から氏の著作を読みました。美術史はあれやこれやの精神の動きの積み重ねであること、私たちの故郷であるユーラシア大陸の極東である島国の文化をよく理解するにはヨーロッパの社会・文化史・美術史を学ばなくては、と私は使嗾《しそう》されてきました。

藤末鎌初
平安時代末期から鎌倉時代初期のこと。

人類の青年期としてのサモトラケの「ニケ像」（ルーブル美術館）や知れる限りの植物を背景に描き込もうとしたファン・エイク、共同体の持つ諺《ことわざ》で絵画をつくり込んだブリューゲル、ミケランジェロの未完のピエタ、あるいはベラスケスの宮廷画の描き込みやイタリア紀行時の写生などへの敬意は、水野先生や林達夫氏の持つリベラルアーツをベースにしたものだったと思います。それがあって私はマチスの《ダンス》（一九六九）や、ピカソの《ゲルニカ》（一九三七）、ブランクーシの彫刻を優品と思えるようになってきたのだと思います。瀧口修造氏の戦中の若い同時代の作家への共感や、中原佑介氏の現代美術への視点や大岡信さんの作品に対する「愛があれば作品とは対話できる」という考えなど、それはサイトスペシフィックな作品を地域芸術祭で見てみたいという期待になっていきました。

　ガウディの地域と自然と生活をベースにした知人たちとの協働が、近代建築とは別の可能性を持っていたのではないかとの思いは、日本全国でのガウディ展の開催につながりました。また、アパルトヘイト否《ノン》！　国際美術展」という全国一九四か所での草の根の展覧会組織となり、ここで、展覧会をつくる人たちこそが、作品が成立させる構造をもっとも良く知ることができるのだと学びました。

私は鶴見俊輔さんの本をよく読みます。アメリカを二分した南北戦争後の困難のなかでつくられていく実践的な制度づくりへの構築や壊れつづけていく高度経済成長以降のこの国のなかにあるやわらかな芽の発見などは『アメノウズメ伝』（一九九一）や、『限界芸術論』（一九六七）などを通じて共感するところが多いものでした。

つい先日、私は大岡信研究会で話をする機会を与えてもらいました。この半年はとにかく暑かった。千葉県と岐阜県をまわる必要があり、新潟県や香川県での芸術祭を始めるようになって以来の旅をしました。私はそれぞれの地域にまだらにある何層にも重なる生業の領域と、それらが多様な要素に混じり合っていく変化を知り、国の政策にくわえて行政単位で補完して活動している様相を知ることができました。内房総では試行錯誤がつづいていますが、珠洲では今年の五月五日に地震があったため芸術祭は三週間遅れで開始しましたが、好評裡に運営されています。越後妻有と瀬戸内では初心に返って、芸術祭を根底から組み立て直そうとしている時期が重なり、週五日平均で地域を巡り、打ち合わせをする日々のなかで、大岡信さんの『うたげと孤心』という絶唱にいたる日本の詩歌と文化の成立への考察が、大地の芸術祭の出発と、それ以降の展開、いたるところでの私の思考のベースになっていたことを改めて知ることができました。菅原道真、紀貫之、後白河院についての愛惜は、どんな時代の困難さにあっても、あきらめずにやることがあるのだと背を押してくれます。

この芸術祭の本部会議は十日町市長、津南町長と福武總一郎総合プロデューサーと私とで構成されています。福武さんは大へび隊をつくりバックアップするだけでなく、助成し、いくつかの作品のスポンサーをやって下さっていますが、「とにかく赤字をつくるな！」と色々やりたがる私にボタンをつけつづけて下さいました。私は日本を代表する経営者から多くを学びました。「祖先を大切にする」は、私の身体の中に入ってきたことのひとつです。また「富をつくるのは企業」だということも芸術祭をやりながら知っていったことのひとつです。二〇一〇年からは同じコンビで瀬戸内国際芸術祭に関わりましたが、生まれも育ちも立場も違う人間が二〇年間一緒にプロジェクトをやりつづけられた奇跡が、この国の美術に何らかの刺激をもたらせたのではないか、との自負につながっています。

いずれにせよ、大地の芸術祭は新潟県と旧六市町村によって構想され、現在は十日町市、津南町の住民、議員の方々によって承認され、その二市町の責任において実行委員会で運営されています。大地の芸術祭実行委員長である関口芳史十日町市長は大所からの判断で、ここまで引っ張ってこられました。大変なことだったと思い、感謝いたします。ありがとうございました。

また二〇一四年からはオイシックス・ラ・大地の高島宏平さんがオフィシャルサポーターを組織し、吉松徹郎さんや、安部敏樹さん、山野智久さん、吉田浩一郎さんら、若い経営者を引っ張り、経済界に芸術祭を伝えて下さっています。オイシックスの包装紙や、商品のデザインに大地の芸術祭のアーティストが起用されています。二か月に一度の会にきてくださる方々のお名前は割愛させていただきますが、皆さんが今後の大地の芸術祭を豊かにしていくのだろうと期待を持っています。

この文を書きながら、触れられなかった作品、そこここでともに頑張って下さった多くの人たちのことを思いました。例えば牧ゆうなさん、二度の芸術祭でこへび隊の事務局をやってくれました。芸術祭は一生懸命にやればやるほど過酷です。離れざるを得なかった人たちに、申し訳なく思います。私たちの地球は、また特にこの国は底なしに落ちつづけているという実感があります。そのなかでも一人ひとりは生きなくてはならず、そこに少しの楽しさ驚きを持っていたい、それが美術の根拠です。例えば私が上京以来十年に一度くらいの作業でご一緒するS・T氏は私より年配ですが、五〇年前の中高生時代の友人を誘って大地の芸術祭を回っておられます。それらの人々に応えたい。

　大地の芸術祭はオール十日町市・津南町による実行委員会とＮＰＯ法人越後妻有里山協働機構で開催していますが、中心は市町の担当職員とＮＰＯ、アートフロントギャラリーのスタッフです。芸術祭が通年化するに従い、恒常的な組織が必要になり、助成・協賛の窓口としてノンプロフィットの組織が必要になりました。今では三〇人を超えるスタッフが関わっており、そこにシニアディレクターの坂口裕昭さん、元井淳監督のもとで女子サッカーチームＦＣ越後妻有が所属しています。このＮＰＯを立ち上げるにあたり、松代の若井明夫さん、下条の村山薫さん、元新潟県職員の高橋豊さんがこの組織の責任を受け持って下さいました。理事*は全員無給ですが、人格識見ともにすばらしい方が参加して下さっています。若井さんは測量事務所長ですが、古民家で民宿をやったり、どぶろく特区でどぶろくの生産者となり二次製品をつくったりと、妻有の可能性を体現していっている方です。村山薫さんも市のエースで、市経営のコンピューターソフトの会社を成功させ、この人ありと言われていた方で、芸術祭開催前には、すれ違っている感じにお思いになられていたようですが、氏が居住する東下組の責任者になられたあたりから、お互いに信頼関係ができていたように思います。薫さんとのこういった経緯は、私が妻有の人とともに生きる現在の深いところでの基盤になっているような気がします。ありがたいことです。

　大地の芸術祭は、誰も来ない集落に設置した作品で人を待ち、鑑賞券・パスポートを買っていただくところから始まりました。しかし冒頭に記したように、今、美術が持つ発見する力、協働を促す力、時代をさかのぼる力をもって、少しずつ理解され始めてきたと思います。そこに関わってくれた一人

＊ＮＰＯ設立時の理事
相沢正平、井川和子、池田修、入澤美時、岡元眞弓、小川弘幸、奥野恵、北川フラム、佐藤利幸、高橋豊、玉木有紀子、田村邦夫、津端眞一、袴田共之、廣田孝、福武總一郎、宮田悦雄、村山薫、茂木愛一郎、柳能弘、山田栄、若井明夫、桑原公夫、葉葺利男

ひとりの思いに拍手し、私の知らない多くの人に感謝してこの文章を書き飛ばしました。この一一月一九日に四半世紀の感謝の会を開きます。この本は多くの人に届くように、そしてまた一日一日をやっていけるように励ます本です。大地の芸術祭のサポーターには国内外から多くの人たちが参加してくれています。その人たちから何の本を読んだらよいか？　とよく聞かれます。そんな時には宮本常一の『忘れられた日本人』と地域に入るための心がけとしての『調査されるという迷惑』をお勧めします。同時に大岡信さんや谷川俊太郎さんなど「櫂」のチームメンバーが選んだ詩歌を蒐《あつ》めた『おーい　ぽぽんた』もあげておきます。これは季節ごとに蒐められたアンソロジーで、それぞれの詩・俳句・短歌がつながっていきます。宮沢賢治の『高原』のあとに、大岡さんの『はる　なつ　あき　ふゆ』という魚づくしがあるというふうに。これは声を出して読むと気持ちがよくなる。リズムがあって嬉しい。ぜひどうぞ。最後に、好きな映画と本を掲げます。

『わが谷は緑なりき』ジョン・フォード（一九四一）
『人間の土地』アントワーヌ・ド・サン＝テグジュペリ（一九三九）

手伝ってくれた人たちに感謝です。

二〇二三年一〇月五日　北川フラム

越後妻有 大地の芸術祭 四半世紀の歩み

		社会の出来事
一九九四	「ニューにいがた里創プラン」 市町村統合に向けた県の広域まちづくり事業として、地域活性化施策の実施対象に十日町市・川西町・中里村・松代町・松之山町・津南町が指定を受ける。	
一九九五		・日本の生産年齢人口最大値 ・地下鉄サリン事件 ・阪神淡路大震災
一九九六	「越後妻有アートネックレス整備構想」 六市町村を十日町広域行政圏として、アートによる地域統合の施策が始まる。芸術祭を主要事業に、実行委員会が設立され、四つの事業が展開された。 一、越後妻有八万人のステキ発見事業 二、花の道事業 三、ステージ整備事業 四、大地の芸術祭	
一九九七		・NPO法人水俣フォーラム発足（一九九二年に水俣東京展を開催）
一九九八	「ステキ発見事業」住民ワークショップ開催 「花の道事業」ワークショップ開催	・特定非営利活動促進法（NPO法）成立
一九九九	サポーター「こへび隊」の結成 大地の芸術祭 延期	・政府により自治体の広域化が全国的に促され、「平成の大合併」が始まる。

二〇〇〇

第一回展
「大地の芸術祭 越後妻有アートトリエンナーレ二〇〇〇」
《光の館》ジェームズ・タレル／《棚田》イリヤ&エミリア・カバコフ
《夢の家》マリーナ・アブラモヴィッチ／《ドラゴン現代美術館》蔡國強
名誉実行委員長＝平山征夫（新潟県知事）／実行委員長＝本田欣二郎（十日町市長）
副実行委員長＝小林三喜男（津南町長）佐藤利幸（松之山町長）関谷達治（松代町長）
田口直人（川西町長）山本茂穂（中里村長）

・ITバブル崩壊

二〇〇一

大地の芸術祭がふるさとイベント大賞受賞

・九月一一日　アメリカ同時多発テロ事件

二〇〇二

《天空散華・妻有に乱舞するチューリップ―花狂―》中川幸夫

・ユーロの流通開始

二〇〇三

第二回展
「大地の芸術祭 越後妻有アートトリエンナーレ二〇〇三」
ステージ整備事業により、エリアの拠点施設が建ち始める。
《越後妻有交流館・キナーレ》原広司＋アトリエ・ファイ建築研究所
《まつだい「農舞台」》ＭＶＲＤＶ
《越後松之山「森の学校」キョロロ》手塚貴晴＋手塚由比
《明後日新聞社文化事業部》（旧莇平小学校）日比野克彦

・イラク戦争
・ＳＡＲＳ流行

二〇〇四

一〇月二三日　新潟県中越地震

二〇〇五

十日町市合併（旧十日町市・川西町・中里村・松代町・松之山町の五市町村）
十日町市長に田口直人氏就任
空き家・廃校プロジェクト始動
アーティストやこへび隊と「大地の手伝い」を始める

・「死刑囚表現展」の第一回が開催

二〇〇六

第三回展

「大地の芸術祭　越後妻有アートトリエンナーレ二〇〇六」

《うぶすなの家》改修設計＝安藤邦廣

《脱皮する家》鞍掛純一＋日本大学藝術学部彫刻コース有志

《最後の教室》クリスチャン・ボルタンスキー＋ジャン・カルマン

二〇〇七

七月一六日　新潟県中越沖地震

《妻有田中文男文庫》改修設計＝山本想太郎

二〇〇八

NPO法人越後妻有里山協働機構　設立

・九月一五日　リーマンショック

二〇〇九

第四回展

「大地の芸術祭　越後妻有アートトリエンナーレ二〇〇九」

総合プロデューサーに福武總一郎氏　就任

十日町市長に関口芳史氏　就任

「秋山郷結東温泉 かたくりの宿」の指定管理をＮＰＯが受ける。

《枯木又プロジェクト》京都精華大学

《鉢＆田島征三 絵本と木の実の美術館》田島征三

《オーストラリア・ハウス》

《インターローカル・アート・ネットワーク・センター（CIAN:地域芸術研究所）》川俣正

二〇一〇

津南町長に上村憲司氏　就任

・「瀬戸内国際芸術祭」初回開催

・「クールジャパン戦略」

二〇一一

三月一一日　東日本大震災　三月一二日　長野県北部地震

二〇一二
第五回展
「大地の芸術祭 越後妻有アートトリエンナーレ二〇一二」
クリエイティブ・ディレクターに佐藤卓氏 就任
《越後妻有里山現代美術館［キナーレ］》改修・改名
・NPO法人ふくしま再生の会発足

二〇一四
オフィシャルサポーター発足
・「地方創生」（第二次安倍内閣）
・「内房総国際芸術祭 いちはらアート×ミックス」初回開催

二〇一五
第六回展
「大地の芸術祭 越後妻有アートトリエンナーレ二〇一五」
《奴奈川キャンパス》改修設計＝山岸綾
《越後妻有「上郷クローブ座」》改修設計＝豊田恒行
《磯辺行久記念 越後妻有清津倉庫美術館［SoKo］》改修設計＝山本想太郎
《赤倉の学堂》ナウィン・ラワンチャイクン＋ナウィンプロダクション

二〇一六
四季プログラム（季節ごとの作品公開）の恒例化
《中国ハウス》
・イギリスがEUの離脱決定（二〇二〇年離脱）

二〇一七
・「北アルプス国際芸術祭」初回開催
・「奥能登国際芸術祭」初回開催
・ドナルド・ジョン・トランプアメリカ合衆国大統領就任
・文化芸術基本法の改正

二〇一八
津南町長に桑原悠氏 就任
第七回展
「大地の芸術祭 越後妻有アートトリエンナーレ二〇一八」
《香港ハウス》設計＝イップ・チュンハン／
《Tunnel of Light》（清津峡渓谷トンネル）マ・ヤンソン／MADアーキテクツ

二〇一九
・ハンセン病元患者家族に対する補償金の支給開始

二〇二〇
・新型コロナウイルスの流行
・日本博が二〇二三年に開催決定

二〇二一
新型コロナウイルスによる第八回展の延期
通年事業「今年の越後妻有」
《越後妻有里山現代美術館 ＭｏｎＥＴ》に改修・改名
《まつだい「農舞台」》改修
《手をたずさえる塔》イリヤ＆エミリア・カバコフ

二〇二二
・二月二四日　ロシアによるウクライナ侵攻が始まる
・七月八日　内閣総理大臣安倍晋三襲撃
第八回展
「越後妻有 大地の芸術祭 二〇二二」
「カバコフの夢」プロジェクト
旧津南小学校大赤沢分校にて作品展開

二〇二三
通年事業「二〇二三年の越後妻有」
大地の芸術祭 二五周年感謝の集い！ 第九回企画発表会

二〇二四
第九回展
「大地の芸術祭 越後妻有アートトリエンナーレ二〇二四」開催予定

アーティスト・インデックス

・建築家・音楽家・デザイナー・パフォーマーなども含まれています。
・図版はクレジットの掲載頁を示しています。

Photo Credit

・50音順に掲載しています。
・番号は写真の掲載頁を示しています。

Akimoto Shigeru | p.079
Abe Yuji | p.174
ANZAÏ | pp.014-015, 020, 027下, 029下, 040-043, 066, 107, 114, 116①-④, 122右, 132, 133右, 135, 136, 137⑦, 161⑤, 171, 173, 177-182, 185, 188①-④, 189, 193, 206右, 217, 230, 238, 241② ⑥, 254, 255② ④, 262
Ikeda Masanori | p.068
Ishizuka Gentaro | pp.070, 072 右上下, 090, 116⑤, 128, 209, 211, 225左
Ebie Shigemitsu | p.134
Ogose Hisao | p.167
Kanemoto Rintaro | pp.001-003, 011, 045, 081, 105, 125, 151, 195, 235
Kawase Kazue | pp.017, 034, 123上, 139, 203
Kioku Keizo | pp.059, 060, 072左, 084, 087, 088③, ⑤-⑧, 092, 095, 102, 103, 130, 142, 146上, 149, 206左, 221, 225右, 241① ④, 248左, 255①, 263, 265
T. Kuratani | pp.058左, 061, 073, 172
Arnold Groeschel | pp.050, 241③
Kobayashi Takeshi | p.027上, 121
Takahashi Kimito | p.138
Nakamura Osamu | pp.018, 019, 022, 032, 033, 037, 048, 053①-④, 056, 062, 076上, 078, 080, 085, 086, 099, 100, 112, 115, 116⑥-⑧, 117, 118, 122左, 123下, 127, 129, 143, 144, 148 右, 154, 155, 161①-④, 183, 184, 188⑤ ⑥, 190, 191, 199, 200, 202, 207, 210, 212, 222, 223, 227, 228, 237, 246, 249, 251-253, 255③ ⑥, 256, 258, 260
Nogawa Kasane | カバー , pp.064, 076下, 214
Noguchi Hiroshi | p.158
Hatori Hiroshi | pp.067, 148左
Hongo Tsuyoshi | p.093
Miyata Hitoshi | p.187
Miyamoto Takenori + Seno Hiromi | pp.024, 025, 036, 065, 071, 075, 120, 133 左, 137 ② ③ ⑥,175, 218, 219, 233, 239, 255⑤
Moriyama Dido | pp.097, 243
Yanagi Ayumi | pp.141, 192, 241⑤
Yamada Tsutomu | pp.109, 161⑥
Yamamoto Sotaro | p.023

北川フラム

1946年、新潟県高田市（現上越市）生まれ。東京藝術大学美術学部卒業（仏教彫刻史）。
1971年、東京藝術大学の学生・卒業生を中心に「ゆりあ・ぺむぺる工房」を設立（渋谷区桜丘町）。展覧会やコンサート、演劇の企画・制作に関わる。
1982年、株式会社アートフロントギャラリーを設立。

主なプロデュースとして、ガウディブームの下地をつくった「アントニオ・ガウディ展」（1978-79）、全国80校で開催された「子どものための版画展」（1980-82）、全国194か所でアパルトヘイトに反対する動きを草の根的に展開し、38万人が訪れた「アパルトヘイト否！ 国際美術展」（1988-90）、米軍基地跡地を文化の街に変えた「ファーレ立川アートプロジェクト」（1994）など。

アートによる地域づくりの実践として「大地の芸術祭 越後妻有アートトリエンナーレ」（2000-）、「瀬戸内国際芸術祭」（2010-）、「房総里山芸術祭　いちはらアート×ミックス」（2014、2021）、「北アルプス国際芸術祭」（2017-）、「奥能登国際芸術祭」（2017-）で総合ディレクターを務める。

主著に『希望の美術・協働の夢　北川フラムの40年 1965-2004 』（角川学芸出版、2005年）、『美術は地域をひらく　大地の芸術祭10の思想』（現代企画室、2014年/アメリカ、台湾、中国、韓国で翻訳出版）、『ひらく美術　地域と人間のつながりを取り戻す』（ちくま新書、2015年）、『直島から瀬戸内国際芸術祭へ―美術が地域を変えた』（福武總一郎との共著/現代企画室、2016年/中国、台湾で翻訳出版）など。

越後妻有里山美術紀行

大地の芸術祭をめぐるアートの旅

2023年11月19日　初版発行

定価　2500円＋税
著者　北川フラム
デザイン　北風総貴［ヤング荘］
尾中俊介［Calamari Inc.］
編集　丸尾葉那［NPO法人越後妻有里山協働機構］
江口奈緒［現代企画室］
編集協力　NPO法人越後妻有里山協働機構
株式会社アートフロントギャラリー
有限会社ペーパーハウス
発行所　現代企画室
東京都渋谷区猿楽町29-18ヒルサイドテラスA8
Tel. 03-3461-5082　Fax. 03-3461-5083
http://www.apc.jca.org/gendai/
印刷所　シナノ印刷株式会社

ISBN978-4-7738-2308-0 C0070 ¥2500E